Julia Baird y Geoffrey Giuliano
John Lennon, mi hermano

Colección Hombres de Hoy / 5

Julia Baird y Geoffrey Giuliano

John Lennon, mi hermano

Prólogo de Paul McCartney

EDICIONES TEMAS DE HOY

Colección: Hombres de Hoy

Ilustración de cubierta: Manuel García y Blanca Lesaola
Diseño de cubierta: Mª Luisa López Celada
EDICIONES TEMAS DE HOY, S.A. (T.H.)
Paseo de la Castellana, 93, 28046 MADRID
Título original: *John Lennon, my brother*
Traducción: Ana Mendoza
Primera edición original: 1988, Grafton Books, Londres
Primera edición española: febrero de 1989
Depósito legal: M-1752-1989
ISBN: 84-86675-66-9
Compuesto en: Cenit, S.A.
Impreso en: Talleres Gráficos Peñalara, S.A.
Printed in Spain-Impreso en España

ÍNDICE

A mi madre.

JULIA BAIRD, 1988

A mi madre.

GEOFFREY GIULIANO
DIA DE AÑO NUEVO, 1988

Y, por supuesto, a John.

Prólogo de Paul McCartney

Cada vez que pienso en mis días juveniles en Liverpool, cuando John y yo íbamos a visitar a su madre, me acuerdo de sus dos hermanas pequeñas, Julia y Jacqui. Mi relación con ellas era superficial, pero siempre lo pasábamos bien y compartíamos al menos algún momento agradable. Cuando Julia y yo nos hemos vuelto a encontrar hace poco, me ha encantado comprobar que conserva viva esa antigua chispa tan propia de su familia.

Me alegra descubrir cualquier cosa sobre el pasado de John. Sé, por ejemplo, lo increíblemente cariñoso que era con su madre; a los dos nos entusiasmaba su exuberante sentido de la diversión, por no hablar de cuando ella se ponía a tocar el banjo. Con el tiempo convencí a John para que no reprodujera acordes de banjo en la guitarra hasta que, por fin, consiguió que los dedos adoptaran las posiciones correctas.

Días estupendos. Y recuerdos estupendos. Que fluyan.

Prefacio de Julia Baird

Un hombre rico le pidió a Sengai que escribiera algo acerca de la prosperidad de su familia, algo que pudiera pasar de generación en generación como un tesoro.

Sengai tomó una hoja grande de papel y escribió: «El padre muere, el hijo muere, el nieto muere».

El rico montó en cólera: «¡Te pedí que escribieras algo para la felicidad de mi familia! ¿Por qué me tomas el pelo?»

«No intento tomarte el pelo —explicó Sengai—. Te produciría una profunda aflicción que tu hijo muriera antes que tú. Si tu nieto falleciera antes, a los dos se os rompería el corazón. Si los miembros de tu familia, generación tras generación, van muriendo en el orden que he descrito, seguirán el curso natural de la vida. A esto lo llamo yo la auténtica prosperidad.»

Personalmente, entiendo esta sabiduría Zen. Nuestro mundo se derrumbó con la muerte prematura de nuestra madre. Jacqui y yo estábamos empezando a asimilar la idea cuando falleció nuestro padre. Pero la muerte de John supuso un caos en el orden natural de las cosas y desató todo un enjambre de sentimientos violentos: ira, tristeza, aflicción, dolor y desesperación. Me resulta más fácil aceptarla si echo la vista atrás, a nuestra infancia, y recuerdo los días felices en que vivían nuestros padres. Es como volver a la normalidad. ¡Al menos para nosotras!

He escrito este libro para mi madre, en memoria suya. Es una demostración del amor que sentíamos por ella y una evocación del que ella sentía hacia nosotros. Para John, para unirle a su familia. Para mis hijos, para que lo puedan entender todo mejor. Y para mí misma, para que me ayude también a entender.

Narra la historia de mi hermano John y del John de la leyenda. En qué momentos estaba de acuerdo con su familia y en cuáles no. Fue corto el tiempo que pasamos juntos y nos lo cortaron en seco. Este libro abarca parte de ese tiempo.

Cuando era niño, todo iba bien.

JOHN LENNON, *She said she said.*

CAPÍTULO I

RECUERDOS DE MAMÁ

Para mí es muy importante que la gente sepa que realmente tuve madre. Y que tuvo un marido que huyó al mar durante la guerra, y que ella lo pasó muy mal. Sin embargo, yo no fui en absoluto huérfano. Mi madre era un ser lleno de vida. Su casa distaba menos de un cuarto de hora andando de la de mis tías. Siempre estaba entrando y saliendo. Yo no vivía con ella todo el tiempo, eso es todo.

JOHN LENNON

Me resulta muy difícil escuchar Julia, *la canción de John, aunque sea preciosa. Después de todo, también era mi madre.*

JULIA BAIRD

De pequeño, John siempre estaba como unas castañuelas. Era muy fantaseador, bailoteaba y era increíblemente bueno con nosotras, las niñas. Era realmente un hermano mayor que haraganeaba por la casa rasgueando su vieja guitarra y componiendo melodías y cosas. Todos éramos muy buenos amigos.

JACQUI DYKINS

Hace poco entré en una tienda de Penny Lane, en Liverpool, a comprar una tarjeta de felicitación para tío Norman. Todavía vive en la casa que John les regaló a él y a tía Harrie. La dependienta se me quedó mirando con ojos de miope. «Me acuerdo de usted —dijo. Y bajó la voz hasta convertirla en un susurro conspirador—. Usted es la hermana de John Lennon, ¿verdad? Usted es Julia.» A pesar de que hayan pasado tantos años, me siguen recordando en esta parte de Liverpool en la que John y yo crecimos. Cabría suponer que, para estas fechas, la gente se habría olvidado de los otros miembros de la familia como, por ejemplo, de mí, una madre trabajadora corriente. Pero el extraordinario impacto que tuvieron la vida y la música de John sobre mucha gente hace que, un cuarto de siglo después del monumental salto a la fama de Los Beatles, se me siga reconociendo como la hermana de una celebridad mundial.

No fuimos repentinamente conscientes de que teníamos un hermano famoso. Para nosotras, la fama de John fue algo gradual, como el crecimiento. Los extraños solamente recuerdan los momentos culminantes, lo que se denomina el éxito de la noche a la mañana. Es como la tía que aparece de repente y exclama: «¡Dios mío, cuánto has crecido!» Para la gente que está cerca, los cambios cotidianos son demasiado difusos como para que tengan efecto inmediato sobre la consciencia.

Mi hermana Jacqui y yo veíamos a John simplemente como el inteligente hermano mayor que siempre había sido. Estábamos tan emocionadas en su primera aparición en público, en la parte de atrás de un camión de carbón aparcado en una de las calles secundarias de Liverpool, como en la primera actuación a petición real de Los Beatles. Su transformación en el hombre que todo el mundo conoce fue tan gradual que nunca se nos ocurrió pensar: «Tenemos a una superestrella en la familia».

Mucha gente todavía nos recuerda a Jacqui y a mí como las hermanas de John, y la mayor parte de ellos, con cariño. Lo cual no siempre sucedía en el caso de John. Me preocupaba mucho por él cada vez que leía en los periódicos historias que eran a la vez ridículamente falsas y terriblemente dolorosas. John solía decirme, encogiéndose de hombros: «Es una estupidez, Ju. Pero es algo a lo que te tienes que acostumbrar. No pasa nada. Si eso es lo que quieren escribir de mí, pues adelante». A veces les devolvía la pelota y decía cosas que no pensaba, en broma.

En una ocasión se dijo que había afirmado que se consideraba un obrero socialista. Es cierto que tenía conciencia social. Sentía interés por numerosas causas. Una de las razones por las cuales se fundó Apple en mayo de 1967 fue, en palabras de John, «para ver si podemos crear cosas y venderlas sin multiplicar nuestros precios por tres». Pero, ¿socialista un millonario como él? ¿Un chico de clase trabajadora de los suburbios de Liddypool, como se conocía a la ciudad en la jerga de Los Beatles? Nunca fue ni una cosa ni otra.

Nuestra madre, Julia, provenía de una familia de clase

media bastante acomodada. Tanto ella como sus cuatro hermanos crecieron en lo que entonces se consideraba una de las mejores zonas residenciales de Liverpool, a la sombra de los muros de roja arenisca de la gran catedral anglicana. Mi madre debió de ver crecer la catedral, pues nació el 12 de marzo de 1914, cinco meses antes de que estallara la Guerra Mundial, cuando la estaban construyendo.

En aquella época, Liverpool era una ciudad floreciente. Con sus siete millas de muelles, tenía uno de los puertos con más movimiento del mundo. Allí estaba la sede de la Compañía Cunard de barcos de vapor y de los primeros transatlánticos del mundo que cruzaron el océano. Los muelles nunca estaban vacíos, había un flujo constante de buques de carga que traían grano y algodón de América y azúcar de las Indias Occidentales.

Mis abuelos por parte de madre, George y Annie Stanley, y sus cinco hijas compartieron esa prosperidad. Pop, como llamábamos al abuelo, nació en 1874. Pasó muchos años en el mar y por aquel entonces trabajaba como investigador de seguros para la Liverpool Salvage. Vivían en la calle Huskisson, donde se alineaban hermosas mansiones georgianas de cuatro pisos con sótano para la servidumbre. En muchas de las casas, la entrada era un porche con columnas. Las adornaban balcones de hierro forjado que presidían la calle, iluminada por farolas de gas. Ahora las farolas son eléctricas, pero el antiguo esplendor no ha desaparecido.

Estas encantadoras casas antiguas estuvieron muchos años descuidadas pero, en la actualidad, el proyecto de desarrollo Canning está llevando a cabo una renovación completa de la zona. Se están pintando todas las fachadas. Los elegantes interiores, en los que aquellos acaudalados comerciantes de algodón criaron a sus familias, se han convertido en espaciosos pisos de la Asociación de Provisión de Vivienda.

Pop era amable pero firme. Tenía todas las características del clásico padre victoriano, porque le habían educado para serlo. Y esto consistía en: aprende tus lecciones de la escuela, cuida tus modales, usa tus mejores ropas en domingo por la mañana en la iglesia y, por la tarde, en la escuela dominical. Pero su severidad la moderaba el cariño y el afecto que sentía por mi madre y por John.

Los dos primeros hijos de George y Annie, un niño y una niña, sucumbieron víctimas de una fatal enfermedad sin haber llegado a cumplir los tres años. Antes de que apareciera la medicina moderna, la mortalidad infantil era una de las realidades de la vida, triste pero común. Y, después, entre 1906 y 1916, llegaron seguidas cinco hermosas niñas. La mayor era Mary Elizabeth (aunque siempre la llamaron Mimi). Después de ella, vinieron Elizabeth (más tarde apodada Mater), Anne Georgina (Nanny), Julia, nuestra madre (a la que en ocasiones llamaban Judy) y, por fin, la niña mimada de la familia, Harriet (o Harrie). A nuestra familia siempre le han gustado los apodos. A John le solían llamar Stinker hasta los doce años, más o menos.

A pesar de la educación conservadora que les dieron, o, acaso debido a ella, maduraron y se convirtieron en un notable quinteto que iba muy por delante de su época. Eran extremadamente individualistas y decididas para aquella generación de mujeres. Nunca fueron convencionales, y Julia la que menos.

Mimi fue la que dio el primer susto. Se suponía que las muchachas de antes de la guerra debían constituir una familia una vez se casaban. El matrimonio era para tener niños. Pero no fue así en el caso de Mimi. Ya se había ocupado de bastantes niños con sus cuatro hermanitas.

Así que lo dijo con toda claridad, en el mismo momento en que se casaba con George. «No pienso tener niños», anunció. Y lo cumplió.

Nanny era una mujer de carrera, cosa bastante rara en 1930. Era funcionaria y no se casó hasta bien pasados los treinta. Tuvo un hijo, Michael. En cuanto nació, hizo la siguiente declaración: «Ya está bien. No voy a tener más niños».

Harrie causó furor porque contrajo matrimonio con un estudiante egipcio de la Universidad de Liverpool y se fue a El Cairo. Cuando Alí falleció de repente, tras la extracción de una muela, Harrie volvió a Liverpool, entonces agitada por la guerra, con su hijita Leila y con los padres de Alí pisándole los talones porque querían la custodia de su nieta. Fue bastante dramático. Luego, para espanto de la familia, la declararon extranjera por ser viuda de extranjero. Durante la guerra tuvo que presentarse en comisaría todos los días.

Mater tenía su manera particular de protestar contra los convencionalismos. Cuando fue madre, descartó inmediatamente la posibilidad de que a partir de ese momento la llamaran «mamá». Era un nombre demasiado corriente, porque a todas las mujeres a las que conocía las llamaban así. Y, entonces, Elizabeth se convirtió en Mater no sólo para su hijo Stan, sino también para el resto de la familia.

Pero Stan no se quedó en casa el tiempo suficiente como para hacerse preguntas sobre el extraño nombre de su madre. Era muy pequeño y delicado, así que cuando solamente contaba unas pocas semanas, Mater decidió que no podía enfrentarse con ese problema. Y se lo llevó a nuestra abuela para que le cuidara hasta que le pudieran mandar interno. Mater es una de las personas más encantadoras que he conocido, pero cuando tuvo que cuidar a la persona que más quería, se aterrorizó. Los Stanley siempre fueron extremadamente sensibles.

Y luego estaba Julia, la más impredecible, la más fuera de lo común. Ella, mucho más que ningún otro miembro de la familia, hizo que Stanley frunciera el ceño. Así que no es sorprendente que diera a luz a alguien tan original y excepcional como John.

La música, como la originalidad, era parte integrante de la familia. La base musical de John databa de muy antiguo. El abuelo de Julia, William Stanley, trabajaba de empleado de un procurador y le encantaba tocar el banjo en sus ratos libres. Él fue quien enseñó a Julia, de pequeña, a tocar el banjo y el piano. Y también le enseñó a John a tocar acordes con su primera guitarra.

También existían genes musicales por el lado paterno del árbol genealógico de John. Jack Lennon, su abuelo dublinés, era músico profesional, actuaba en variedades y sabía cantar, bailar y tocar el banjo. Había nacido en 1855 y se había educado en Liverpool, ciudad a la que sus padres se trasladaron cuando era apenas un bebé. También él emigró, para hacer fortuna en América, con su novia irlandesa recién desposada, Mary Maguire. Tuvo un éxito modesto en el vodevil y fue uno de los miembros fundadores de los famosos Kentucky Minstrels. Se retiró a Liverpool gozando de una razonable prosperidad pero, realmente, no era una gran estrella, y en 1912, a los cincuenta y siete años de edad, colaboró con Mary para crear al niño que más tarde sería la mayor fuente de preocupaciones de nuestra familia. Se trataba de Alfred o «Ese Alf Lennon», que es como le llamaban mis tías. En realidad nunca he oído a nadie decir nada bueno sobre él. Pero a pesar de sus errores contribuyó a moldear el futuro de la música pop y de millones de fans de Los Beatles.

La madre de Alf falleció durante el nacimiento de su

tercer hijo. Cuando Alf tenía cinco años, su padre murió también. El cuidado de Alf y sus dos hermanos pequeños, Charles y Sidney, se encomendó a la Bluecoat School de Liverpool, muy cerca de Penny Lane, que aceptaba huérfanos. El edificio original todavía sigue en pie; es una formidable mansión victoriana de ladrillo rojo con torretas y una torre con reloj que debió haber sido causa de sobresaltos en la vida de los pequeños Lennon.

A los quince años, Alf dejó el orfanato para empezar a trabajar. Tuvo una larga serie de empleos antes de encontrar uno que realmente fuera adecuado para él: botones en el gran Adelphi Hotel de Liverpool. El lujo de lo que le rodeaba y el pulcro uniforme con botones dorados debieron causar honda impresión en la parte extravagante del carácter de Alf. Una semana después de salir del orfanato, conoció a Julia, una impresionable adolescente de catorce años que se enamoró de él perdidamente.

En una entrevista que le hicieron muchos años después, Alf describió de la siguiente manera el primer encuentro con mi madre: «Un compañero y yo estábamos en el Parque Sefton en nuestro día libre y él me intentaba explicar cómo se ligaba con las chicas. Yo me acababa de comprar una boquilla y un sombrero hongo y me encontraba bastante interesante. Le echamos la vista encima a esa chica. Cuando pasamos por su lado, me dijo: ''Pareces bobo''. Y yo le contesté: ''Y tú deliciosa''. Y me senté a su lado en un banco del parque. Me dijo que si me quería sentar a su lado debía quitarme lo que ella llamaba ''ese sombrero absurdo''. Así que me levanté y lo tiré al lago».

Todo muy romántico, pero no era la clase de unión fortuita que mis abuelos deseaban para una de sus hijas. Mimi dice: «Tengo que admitir que era realmente guapo. Pero todos sabíamos que no le resultaría conveniente a nadie y menos a Julia».

En aquella época de conciencia de clase, existía un orden social según el cual había muchas cosas que contaban para conseguir ciertos trabajos: la forma de hablar, la casa en la que vivías, los antecedentes familiares y la cantidad de dinero que poseías. Alf tenía muy poco de todo ello.

Se mirara como se mirara, era el pretendiente menos adecuado. Pero Julia era muy obstinada. Cuando se casaron en el registro Mount Pleasant de Liverpool, el 3 de diciembre de 1938, ninguno de los Stanley asistió a la boda. Alf aseguraba que el matrimonio había sido idea de Julia. «Un día me dijo: ''Vamos a casarnos''. Yo le respondí que si íbamos a hacerlo, debíamos hacerlo bien. Ella me contestó: ''Me juego algo a que eres incapaz''. Y maldita sea si no lo hice, como en broma. En realidad fue muy divertido eso de casarse.»

Pasaron la luna de miel en un cine. A Julia siempre le había encantado el cine, especialmente desde que comenzaron las películas sonoras, así que, como chiste, puso en el certificado de matrimonio que era «acomodadora de cine». Después, volvió a casa de sus padres, en la calle Huskisson y Alf se fue a su cuarto alquilado.

Al día siguiente empaquetó sus escasas pertenencias, se enroló por tres meses y embarcó rumbo a las Indias Occidentales como camarero en un lujoso transatlántico. ¡Mi pobre madre! En el plazo de veinticuatro horas había pasado a ser viuda y tenía que vivir con unos padres que estaban de uñas con su atolondrada hija.

Alf entraba y salía de su vida, se iba a vivir una semana o dos a casa de los Stanley y no mencionaba que tuviera ningún plan para establecer un hogar propio.

Después de una de esas visitas, en las Navidades siguientes al comienzo de la guerra, Julia descubrió que estaba encinta. Como era típico en él, Alf no estaba con ella cuando las buenas noticias se confirmaron ni cuando ingresó en la maternidad de Oxford Street, en octubre, para dar a luz. Era 1940 y el bombardeo alemán estaba en todo su apogeo. Y era excepcionalmente intensivo sobre Liverpool.

John Winston Lennon nació a las siete de la mañana del 9 de octubre, en pleno bombardeo. El nombre de Winston fue un gesto patriótico de mi madre. Inmediatamente pusieron al bebé en su cuna y la colocaron bajo la cama de hierro de su madre. Era el lugar más seguro, ya que cabía la posibilidad de que cayeran escombros o cristales si la explosión de una bomba rompía alguna ventana. De la maternidad pasaron a instalarse en casa del padre de Julia, Pop, que había quedado viudo y vivía en una casita pequeña en Newcastle Road. Curiosamente, en la zona de Penny Lane, casi enfrente del orfanato donde Alf había crecido.

John acababa de aprender a andar cuando Julia recibió espantosas noticias. Había ido, como tenía costumbre, a las oficinas de la compañía de navegación a recoger su parte del salario de Alf, y descubrió que Alf había desaparecido. Se había embarcado rumbo a América. Le debió doler muchísimo. Efectivamente, ése fue el final de sus diez años de relación.

Alf reaparecía intermitentemente, con diversas excusas, y se volvía a marchar. Cuando su barco atracaba, se recibían extrañas llamadas de teléfono desde Southampton. O bien no tenía permiso o, si lo tenía, no lo invertía en hacer el viaje al Norte, hasta Liverpool. Para entonces, Julia ya estaba harta de este matrimonio y de sus altibajos. Era joven, alegre y llena de vida y, evidentemente, quería de un marido más de lo que Alf podía ofrecer. Además, John prácticamente no tenía padre, como tantos otros niños durante la guerra. Aunque, a diferencia de ellos, ni siquiera podía recurrir al «cuando papá vuelva a casa».

Julia nunca estuvo segura de nada relacionado con Alf. Su incapacidad para comprometerse estaba, sin duda, motivada por su infancia carente de afectos. Si se mira hacia atrás, parece una buenísima excusa para su extraordinario comportamiento. Pero las excusas no le resultaban de gran ayuda a mi madre. Su matrimonio, como el propio Alf había dicho, había sido en realidad una broma.

No es sorprendente lo que sucedió después. Hacia finales de 1944 conoció a un joven soldado que estaba de permiso y tuvieron una breve historia de amor. Él desapareció de su vida, volvió al frente y no se volvieron a tener noticias suyas. Nadie, excepto mi madre, supo jamás quién era. Y de nuevo estaba encinta.

Ella y John seguían viviendo en casa, con Pop. Ella era aún la niña de la casa aunque tenía treinta años. Pop se hizo cargo de la situación y dijo que lo mejor sería dar al bebé en adopción en cuanto naciera.

En tiempo de guerra, los embarazos fuera del matrimonio no eran nada raro, pero las actitudes no resultaban en absoluto tolerantes para con las chicas que se buscaban problemas. Se arregló todo con el Ejército de Salvación para que el parto se produjera en Elmswood, su sede en las proximidades de North Mossley Hill Road. El Ejército de Salvación, asimismo, se encargaría de la adopción.

Cinco semanas antes de que terminara la guerra, Julia dio a luz una niña a la que puso Victoria Elizabeth. El nombre del padre no figura en el certificado de nacimiento. En las casillas en las que debía constar su nombre y ocupación sólo aparecen dos guiones. Se cree que a Victoria la adoptó un marino, un acaudalado capitán noruego, y que se la llevaron a Noruega cuando sólo tenía un mes. Debe haber cumplido ya los cuarenta y, probablemente, tiene su propia familia. ¿Sabrá que es hermana de John Lennon? ¿Sabrá que tiene dos hermanas menores que viven en Inglaterra? Lo más seguro es que no. Los discretísimos Stanley taparon todo el asunto. Los detalles sobre su nacimiento no se han descubierto hasta hace poco, después de la minuciosa comprobación de miles de inscripciones en las oficinas centrales de registro de nacimientos de Londres.

Desde que todo se descubrió, en 1985, mucha gente me ha preguntado por qué no intento localizarla. No me siento inclinada ni a perturbar su vida ni la de mi propia familia. Simplemente me pregunto cómo afectó a mi madre y de qué manera lo superó todo cuando nos tuvo a Jacqui y a mí.

Mi padre, John Dykins, había entrado por aquel entonces en la vida de mi madre. Era cliente del café de Penny Lane en que ella trabajaba como camarera. Y, una vez más, los Stanley desaprobaron al nuevo hombre que Julia había elegido. Para empezar, ella estaba todavía legalmente casada con Alf Lennon. El divorcio ni se había discutido, porque Alf nunca estaba allí para discutir nada. También pensaron que mi padre pertenecía a la misma categoría que Alf, que «no era del tipo adecuado». Mi prima Leila, la que había vuelto de Egipto, era entonces lo suficientemente mayor como para captar algunas de las vibraciones de esta nueva conmoción familiar. «He llegado a la conclusión, a lo largo de los años, de que Mimi y, hasta cierto punto, Pop, tenían serias dudas sobre si John Dykins sería la pareja adecuada para Julia. La decisión general fue que este nuevo novio pertenecía a una clase social demasiado baja para los Stanley y que no era lo bastante bueno para su Julia».

Una vez más, Julia había tomado una decisión y nadie la podía detener. Puso fin a todas las discusiones llevándose a John y yéndose a vivir con Bobby, como ella llamaba a mi padre. Establecieron su hogar en un minúsculo pisito de un dormitorio muy lejos del resto de la familia, en la zona de Gateacre.

Mimi, por ser la mayor, era siempre la portavoz de la familia. Después de la muerte de su madre se había convertido en una especie de matriarca. Como sucede en tantas familias campesinas, las mujeres eran la columna vertebral de la nuestra. Ellas tomaban todas las decisiones.

Mimi y sus hermanas se quedaron horrorizadas cuando Julia se fue a vivir con John Dykins. Como era característico, Mimi asumió la tarea de intervenir en interés de mi hermano. Poco después de que hubieran puesto el pisito nuevo, Mimi tomó el autobús un fin de semana —el primer Stanley que iba a visitar el nido de amor— y exigió que le entregaran a John porque Julia ya no era una buena madre.

Citó la «indiscreción» de Julia relacionada con Victoria y el hecho de que Julia ya tuviera marido, aunque fuera ausente. Estoy segura de que actuaba así con la mejor intención y que realmente pensaba en el beneficio de John. Pero Bobby fue firme. «John es hijo de Julia», dijo. Él la ayudaría a cuidarle, no Mimi. Mimi fue despedida amablemente pero con firmeza.

Pero volvió antes de que pasara mucho tiempo. Y esta vez con una joven asistente social. «No están casados —anunció Mimi—. John debe vivir conmigo por lo menos hasta que Julia haya solucionado su vida.» La asistente social debió sentirse violentísima en medio de esta escena. El pisito estaba limpio y ordenado. John tenía todo el aspecto de ser un niño de cinco años feliz y normal. Julia y su marido no oficial parecían felices juntos. «Me temo que eso no tiene nada que ver, al menos por lo que a nosotros se refiere, Mrs. Smith —dijo—. Después de todo, el niño es su hijo.»

A Julia le alivió tener a la ley de su parte en esta desagradable disputa familiar. Pero su victoria fue efímera. El departamento de Servicios Sociales de Liverpool realizó una inspección posterior y se descubrió que John no tenía dormitorio propio, ni siquiera cama. Como mamá era así, naturalmente le acostaba a su lado en la inmensa cama doble. Le dijeron que John tendría que ir a vivir a otro sitio hasta que encontraran un piso mayor. No tuvo elección. Y John se fue a vivir con Mimi.

Así es como empezó todo, los años de John con Mimi, la famosa tía de Los Beatles que todo el mundo conoce. Es irónico que Mimi, la única que había dicho que no tendría hijos, terminara ocupándose del hijo de su hermana. Mostraba un compromiso con sus responsabilidades como hermana mayor. Pensaba que su deber era que todos tuvieran una infancia feliz y creía que John corría el riesgo de no tenerla.

Recuerdo a mi padre como un hombre mimoso. Para describirle, utilizaría la palabra apuesto. Le recuerdo con un abrigo muy holgado de piel de camello y un sombrero castaño ladeado. Tenía el pelo negro y llevaba bigote. Era un excelente bailarín, lo mismo que mi madre. Le gustaba la música latinoamericana, en especial el tango y la rumba. Tenía una tosecilla nerviosa debido a la cual John a menudo le llamaba *Twitchy** cuando estaba con sus amigos, aunque, por lo general, le llamaba Bobby, lo mismo que nuestra madre.

Lo de *Twitchy* era solamente una broma de John. Siempre se llevaron bien. La gente que ha dicho que siempre estaban lanzándose puyazos está muy equivocada. Cuando John venía a casa a pasar los fines de semana,

---

* N. de la T.: *Twitch:* Tirón, punzada, contracción nerviosa, retortijón.

mi padre solía darle dinero. Cuando John quería un trabajo para los sábados, mi padre le encontraba algo en el hotel que dirigía. Y se aseguraba de que John recibiera buenas propinas, lo mismo que hizo conmigo cuando tuve edad de trabajar. Siempre respetaré a Bobby porque, a diferencia de su padre real, no quiso aprovecharse después del éxito de John.

Alf Lennon aparecía cuando le convenía. John acababa de cambiarse a casa de Mimi y, de alguna manera, Alf se enteró en cuanto desembarcó en Southampton. Llamó a Mimi y le dijo que quería hablar con John. ¿Le gustaría pasar unas vacaciones en el mar con papá? Por supuesto, dijo que sí. Mimi estuvo de acuerdo con el plan y los dos se encaminaron a Blackpool.

Cuando Julia supo que Alf se había ido con John, se temió lo peor. Alf reconoció después que tenía intención de no devolver a John. Julia fue tras ellos y, con ayuda de uno de los antiguos compañeros de Alf, averiguó su paradero; se encontraban en una pensión en Blackpool, frente al mar.

Esto es lo que sucedió entonces, según Alf:

«Julia dijo que había venido a llevarse a John lejos de mí. Estaba buscando un sitio nuevo y pensaba recuperarle. Le dije que me había acostumbrado a John durante nuestras vacaciones y que me lo iba a llevar a Nueva Zelanda conmigo. Le pedí que se viniera con nosotros; tendríamos la oportunidad de ser una familia.

»No me hizo ni caso. Lo único que quería era al niño. Vamos a preguntárselo a él —dije—. Después de todo, es su vida. Así que llamo a John y viene corriendo y se me sienta en las rodillas y me pregunta si mamá se va a quedar. No, digo, él tiene que decidir si quiere vivir conmigo o con ella. Sin dudar un momento dice que conmigo. Julia le pregunta de nuevo. Una vez más responde: ''Con papá''.

Nuestra abuela materna, Annie Millward Stanley, a la que sus cinco hijas amaban mucho y de la que hablaban con frecuencia.

Leila, con su madre, Harrie, mi madre y Nanny, en el jardín de Nanny en el verano de 1949. Estas mujeres tuvieron sobre nosotros una profunda influencia, tanto en nuestra infancia como cuando fuimos adultos.

Mimi y John con Sally, la perra

Mimi y tío George con Jo
John adoraba a George y
muerte repentina le afectó
muchísimo.

El padre de John, o «ese
Alf Lennon», que es como
siempre le llamaban mis tías.

En el porche de Mendips.

Posando con su bicicleta para la posteridad.

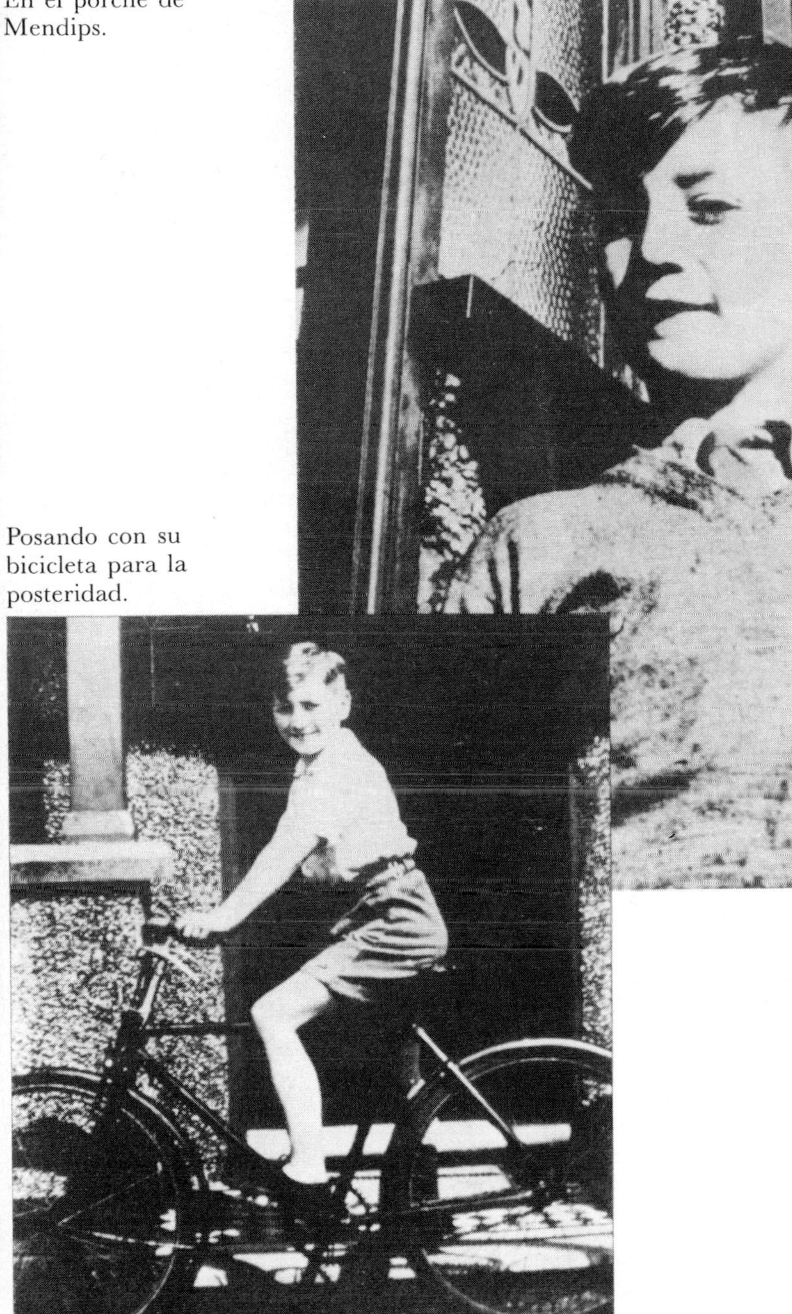

Arriba: Todos los niños en el jardín de Nanny en el verano de 1949. De izquierda a derecha, Michael, Leila, David, Julia y John (9 años).

Arriba: Stanley, Leila y John de vacaciones con Mater en Fleetwood.

Derecha: John superado por Michael en el jardín de Mimi, 1950.

Stanley y John en Mendips.

Abajo: John y Leila con David, 1949.

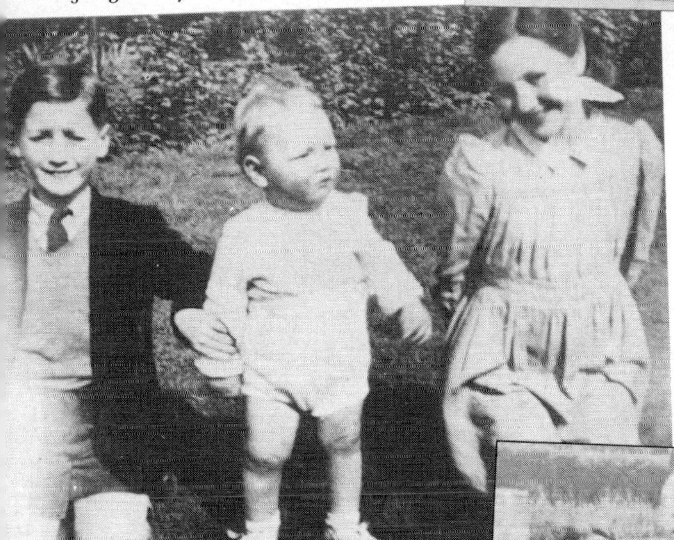

Derecha: Yo, David y Jacquie en la puerta de entrada a El Cottage, a finales del verano de 1958. Acabábamos de volver de Escocia.

Mamá y John en el jardín de Nanny, verano de 1949.

Arriba: Mimi y John en jardín de Mendips. Duran muchos años fue Mimi la qu cuidó cotidianamente de John

Abajo: Mamá y Jacqui en el jardín de Nanny, 1950.

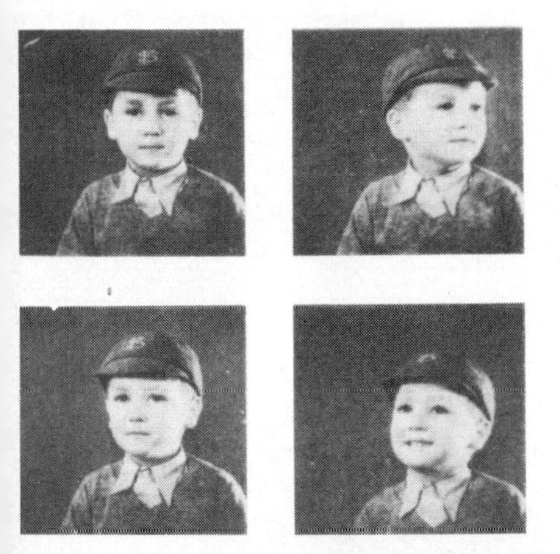

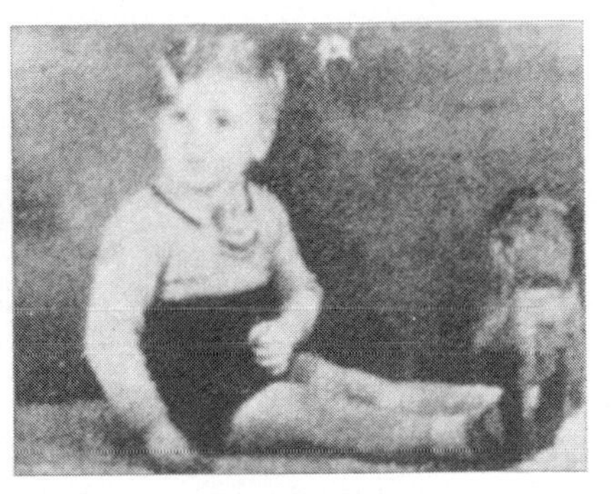

Por lo que se sabe, el primer retrato de John.

John con cuatro años. Tío Norman dice de él que, a esta edad, «John era un niñito maravillosamente inteligente». Parecía que siempre estaba sonriendo y tenía unos preciosos ojos inquisitivos y penetrantes del color de las uvas.

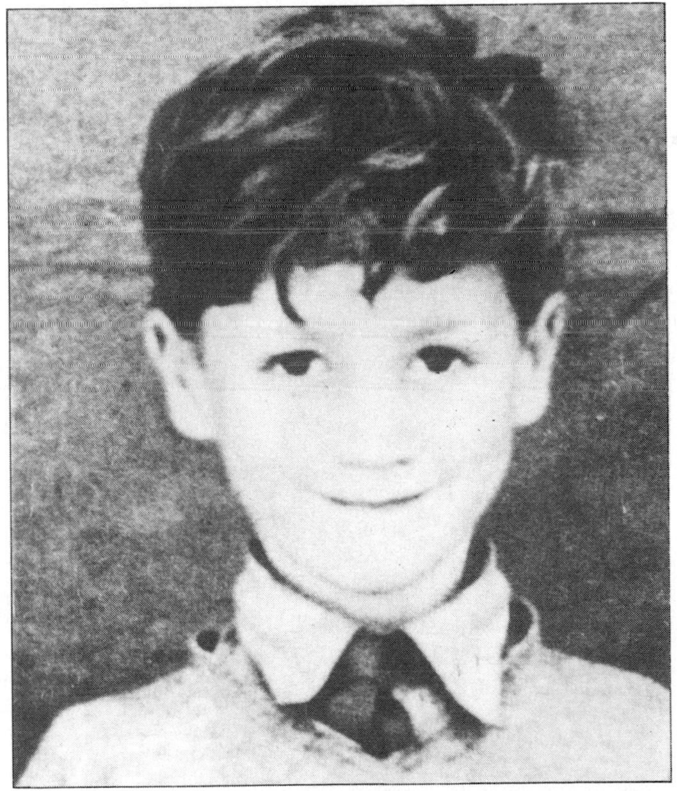

John el travieso.

Arriba: John Albert Dykins, papá, con Jacqui en 1960, después de la muerte de mamá.
Derecha: Yo, con once años, en el colegio en Liverpool, 1958.

»Se puso a llorar y se dio la vuelta para irse. John, de repente, dio un salto y la alcanzó de una carrera. Nunca le volví a ver ni tuve noticias suyas hasta que descubrí que era una estrella pop».

En Liverpool, John volvió a casa de Mimi y se quedó allí. El tira y afloja de Blackpool debió haber sido una experiencia profundamente turbadora para un niño de cinco años. Mimi decidió firmemente que lo mejor para John era que se quedara a vivir con ella y su tío George. Tenían una casa muy cómoda con un gran jardín en la Avenida Menlove, la zona elegante de Woolton. En una época, el alcalde de Liverpool vivió en la casa de al lado. El nombre de la casa de Mimi era Mendips y habitualmente la llamaban así.

Los primos siempre estábamos entrando y saliendo de las casas de los otros. Recuerdo ir a jugar a Mendips, corretear por el jardín de atrás y tomar el té fuera en verano. La habitación de John estaba encima del porche. Más tarde tocaría allí la guitarra con Paul.

El porche era pequeño y estaba acristalado, lo que le convertía en un excelente estudio improvisado con buenos efectos acústicos. Y también resultaba menos molesto a los oídos de Mimi. La habitación de John era la típica habitación de un muchacho y estaba tan desordenada como inmaculadamente limpio el resto de la casa. Había libros por todos lados. Mimi era una gran lectora y animaba a John a leer. Sobre su cama había una colección de recortables de esqueletos y varios monstruos que él mismo había hecho.

Nos divertía mucho tirar de la cuerda que había atado a uno de los postes de la cama y que hacía que todos se pusieran a saltar arriba y abajo en un baile enloquecido. John siempre tuvo una desbordante imaginación. Cuando tenía solamente siete años, empezó a escribir libritos que

Mimi todavía conserva. Uno de los primeros es *Deporte, velocidad e ilustraciones*, por J. W. Lennon. Pegó fotos de futbolistas y de estrellas de cine recortadas de revistas, hacía dibujos cómicos y escribía chistes del colegio.

Julia y Bobby nunca encontraron otro piso mayor. Julia era muy desorganizada para todas las cosas prácticas. Cuando se volvió a quedar embarazada, regresaron a casa de Pop. Parecía que la relación era estable y la familia empezó a conceder su aprobación. Bobby, a diferencia de Alf, raramente se alejaba del lado de Julia. Lentamente y bastante a regañadientes tuvieron que aceptar que Bobby era un miembro de la familia, aunque todavía no se había hablado de matrimonio. Seguía casada, por supuesto, con Alf.

Mi llegada se produjo el 5 de marzo. Fui un bebé perfectamente normal que pesó al nacer siete libras y media. Poco después de mi segundo cumpleaños murió Pop y nos tuvimos que mudar de nuevo. La casa de Pop era alquilada y el dueño la puso en venta a un precio que mis padres no podían pagar. Mi madre estaba nuevamente embarazada y el Ayuntamiento hizo acto de presencia para ayudarnos.

Nos colocaron en una de las casas de Springwood Estate, el lugar que sería siempre nuestro hogar, y John gradualmente empezó a formar parte de nuestras vidas. Pero nunca se instaló permanentemente. En aquella época, llevaba ya mucho tiempo viviendo con Mimi y se había adaptado muy bien al colegio. Hacerle cambiar de casa le habría supuesto una perturbación.

Jacqui nació el 26 de octubre de 1949. Mis padres seguían sin estar casados. Nunca lo estuvieron. Pero los vecinos no lo sabían. Sencillamente, supusieron que mi madre era la señora Dykins, lo mismo que nuestros amigos del colegio. Llevaba dos anillos, que nos dio a Jacqui y a mí mucho después. Si alguien me hubiera preguntado, no habría sabido decir el significado de la palabra «ilegítima». Descubrimos que había algo raro del modo en que descubren cosas todos los niños: escuchando a escondidas. Mi madre y sus hermanas eran muy aficionadas a pasarse horas bebiendo interminables tazas de té fuerte con leche y a veces con una gota de crema. El ritual era siempre el mismo. Estaban muy unidas. Acaso sus hermanas pensaran que el comportamiento de mi madre se podía considerar «inexplicable», pero esto no había alterado el profundo amor que se tenían.

Una tarde habíamos estado jugando en el piso de arriba. Con nuestros primos, nos deslizamos hasta el salón en el que Harrie, Mater y nuestra madre mantenían una de sus discusiones familiares. Desde el otro lado de la puerta, escuchamos que una de ellas hablaba sobre el efecto de que tres de ellas se hubieran casado dos veces.

No tenía ningún sentido. Además de no saber nada sobre mis padres, no sabíamos que Harrie era viuda cuando conoció a Norman Birch, que era entonces capitán del ejército. Sí que sabíamos lo de Mater, porque habíamos oído hablar de Charles Parkes, el padre de Stan. Nunca las llamábamos tía porque consideraban que era un añadido estúpido al nombre de uno. Se mirara como se mirara, era una familia muy confusa. John vivía con su tía mientras que Stan, de pequeño, había vivido con nuestra abuela. Había tíos y tías con los que no nos unía ninguna relación formal. Estaba Alf, al que nunca habíamos visto, y John, del que pensábamos que era un auténtico hermano. Ya entonces debían dar por sentado que mi madre estaba casada, aunque sin formalidades, porque ella era una de las «tres».

Algunos críticos de Los Beatles, años después, afirmaron que John había crecido triste y solo, separado de su familia. Lo que no es cierto en absoluto. Nuestro historial era tan confuso que todos nosotros pertenecíamos a toda la familia. Estábamos constantemente en las casas de los demás, con tías que nos trataban como a sus propios hijos, haciéndonos tantos mimos —y regañándonos tanto— como nuestras propias madres.

Éramos perfectamente felices, en el centro de una familia muy unida. El nuestro era un gran hogar de cinco hermanas y siete niños: Stan (hijo único de Mater), Leila y David (los dos de Harrie), Michael (hijo único de Nanny) y John, Jacqui y yo. Nuestros tíos no aparecían mucho en escena. Eran figuras indefinidas que iban a trabajar y no interferían en nuestras vidas. Una vez, hablando sobre su familia en una entrevista, John dijo: «Mi familia la formaban cinco mujeres. Cinco mujeres fuertes e inteligentes. Una de ellas era mi madre. Eran fantásticas. Un día voy a escribir sobre ellas una especie de *Saga de los Forsyte*. Supusieron mi primera educación feminista real».

De todas las muchachas Stanley, mi madre era la más guapa. Cuidaba mucho su aspecto y era muy consciente de su belleza. Siempre llevaba las uñas pintadas de rojo brillante, tanto las de las manos como las de los pies. Se aplicaba con frecuencia mascarillas de harina de avena, mantenía la blancura de sus manos con zumo de limón y tomaba levadura para el cutis. Su consejera, en estos tratamientos caseros de belleza, era mi prima Leila, diez años mayor que yo. Se preocupaba mucho de la salud y quería ser doctora.

Leila, que ahora es especialista, dice: «Julia era bonita como un cuadro. Medía cinco pies y dos pulgadas, sus pies eran muy pequeños y siempre llevaba zapatos con tacones de quince centímetros; tenía un cabello castaño rojizo que le llegaba hasta los hombros. Era como una muñequita caminando por la calle. La gente se volvía cuando pasaba. Cuando algún descarado la silbaba, solía decir ''Hmmm, tú tampoco estás mal''. Estaba llena de alegría. Tenía muchísima personalidad y un don para las palabras, lo que la convertía en una persona muy, muy chistosa. Nadie dijo nunca nada malo de ella. A todo el mundo le resultaba encantadora.

»Si te dirigías a ella en un mal momento, enseguida te estabas tronchando de risa. Era una persona deliciosa. Le robaba el corazón a todo el mundo».

Me acuerdo de que, cuando era pequeña, observaba a mi madre ante el espejo mientras se cepillaba su espesa mata de pelo castaño rojizo y se arreglaba para salir con mi padre. Invariablemente se ponía su mejor y único vestido de noche, un esponjoso modelo de tul rosa adornado con estrellas de oro y plata. Aquellas salidas nocturnas no eran frecuentes. Mi padre solía trabajar hasta muy tarde en el hotel, en el que entró de jefe de camareros y terminó siendo director.

El nuestro era un hogar feliz. Nunca, al volver del colegio, encontramos la casa vacía. Mamá siempre estaba allí, canturreando en la cocina la mayor parte del tiempo. Era muy buena cocinera. Preparaba muchas sopas, estofados y asados, pero nada que fuera demasiado complicado. Hacía las tareas de la casa lo más rápidamente posible. Mi madre nunca perdió el tiempo en las cosas innecesarias de la vida. El trabajo casero era imprescindible si no se podía encontrar otra solución.

Eso es lo que pasaba con el lavado. Nunca tuvo lavadora. Una vez mi padre le habló de comprar una y ella le contestó: «¿Qué tiene de malo la lavandería?» Y luego me aconsejó, aunque yo sólo tenía diez años entonces: «No te compres nunca una lavadora, cariño. Lo único que supone es un montón de trabajo pesado. Lleva la ropa siempre a la lavandería china». Lavar, planchar y almidonar las camisas y los cuellos que mi padre necesitaba para su trabajo en el hotel no se ajustaba a su idea de lo que era una vida útil.

Cuando nos leía cuentos, ponía la nariz encima del libro. Era terriblemente miope. John y yo lo hemos heredado. Estaba completamente en contra de las gafas. Nanny me dijo que mamá había tirado las suyas a la basura cuando terminó la escuela. Mi padre a menudo le leía el periódico porque ella no podía leer la letra pequeña durante mucho tiempo sin cansarse.

Cuando el médico del colegio me dijo que tenía que usar gafas, ella me aseguró: «Oh, no, tú no llevarás gafas, cariño. Y todo irá bien». También me dijo que los ojos más hermosos eran incapaces de ver. ¡Los suyos, desde luego, lo eran! John siempre se quitaba las gafas para tocar cuando empezó a actuar en locales de la ciudad. Llevar gafas no se consideraba moderno. Después, por supuesto, pudo comprarse unas lentes de contacto y fue él quien me animó a que me las pusiera yo también. «Son fenomenales», me dijo. Ahora casi siempre llevo las gafas de mi abuelita. Cuando te sientes contento contigo mismo, es más fácil llevar gafas. John también se dio cuenta. En sus últimos años volvió a llevar gafas. No podía tolerar las fuertes luces de los escenarios.

Mi padre fue un hombre muy casero, completamente diferente del nómada Alf. Le encantaba trajinar por la cocina, con los brazos llenos de harina, y hacernos nuestro pastel de manzana favorito o pegajosos bollos de canela. Era muy bueno con los aparatos. Fuimos las primeras de la calle que tuvimos coche y, lo que es aún mejor, televisión. Se emocionó muchísimo cuando nos instalaron el teléfono. Se fue corriendo calle abajo hasta la cabina y llamó a mi madre para comprobar que el nuestro realmente funcionaba.

Habitualmente era un hogar feliz. Pero a veces saltaban chispas. Mis padres eran dos personas apasionadas, con mucho temperamento, y en sus vidas no había lugar para las zonas grises. Para ellos todo era o blanco o negro. Y cuando no estaban de acuerdo, todos nos enterábamos. Pero al minuto siguiente, ya estaban besándose y haciendo las paces. Había mucho afecto en mi casa. Estábamos acostumbradas a entrar en una habitación y encontrar a mi padre de pie abrazando amorosamente a mi madre.

Los que no nos conocen deben pensar que era muy raro que John viviera con la hermana de su madre. En realidad, sí que era algo extraño; tardé años en darme cuenta. Cuando era pequeña, sin embargo, no me parecía raro que mi hermano mayor viviera con mi tía, porque no éramos la única familia de la calle que vivía así. Había una familia con nueve hijos de los cuales dos vivían con su abuela porque la casa no era lo suficientemente grande para todos. A los niños de otra de las familias los cuidaba su padre porque la madre sólo iba a casa los fines de semana; él no tenía trabajo, pero ella se las había arreglado para encontrar uno a 200 millas de Londres.

John nunca mencionaba a su padre. En el caso de que lo hubiera hecho, nosotras no habríamos sabido de qué estaba hablando. Suponíamos que sería el mismo papá. Nunca nos habían dicho nada en sentido contrario. Y no nos parecía raro que John llamara a papá Bobby. A los hermanos mayores se les permitía hacer cierto número de cosas que a nosotras nos estaban vedadas. Además, los dos se llamaban igual como otros padres e hijos que conocíamos. Aunque el apellido de John era distinto del mío, nunca se me ocurrió que tuviéramos padres diferentes.

Ya éramos adolescentes cuando desenmarañamos todas estas cosas tan complejas. Pero nunca nos *dijeron* nada. Los niños de la familia Stanley siempre estábamos protegidos contra cualquier verdad que los adultos juzgaran desagradable. Era lo que quedaba de la educación victoriana de Pop. De niños, nuestro mundo estaba completamente separado del de los adultos. Y en el nuestro nunca sucedía nada funesto, aparte de algún cachete esporádico.

Siempre éramos los primeros y teníamos lo mejor de todo. ¿Cómo podíamos ser felices si nos echaban encima los problemas y los dramas de los adultos? Nos protegían de la realidad de todas las formas imaginables. Hoy, yo me siento y hablo las cosas con mis hijos. En casa, nunca hubo estas discusiones familiares. Y John, como nosotras, aceptaba este estado de cosas.

Alf era un recuerdo lejano. Como dijo John después: «Pronto me olvidé de mi padre. Pero veía a mi madre con mucha frecuencia y a menudo pensaba en ella. La distancia no significa gran cosa cuando eres pequeño. Durante mucho tiempo, no me di cuenta de que ella vivía sólo a un par de millas. Cuando me hice mayor, lo bastante mayor para ir solo en autobús, la veía todo el tiempo. Para mí se convirtió en una especie de tía joven o de hermana mayor. Cuando empecé a tener con Mimi las habituales broncas de adolescente, me marchaba a casa de mi madre a pasar el fin de semana. Ella me regaló mi primera camisa de colores. Tenía consciencia de cosas tales como la moda años antes de que se impusiera».

En mi alcoba había una cama doble. Cuando John venía para quedarse, Jacqui se cambiaba a mi habitación y John dormía en la suya. Mi primer recuerdo concreto de él es escucharle entrar de puntillas los viernes por la noche en la pequeña habitación de Jacqui, cuando se suponía que nosotras ya llevábamos dormidas mucho rato. Por la mañana, estábamos impacientes por entrar precipitadamente y saltarle encima y chillábamos encantadas cuando nos hacía cosquillas y nos llamaba bobas. Finalmente, gritaba: «Mamá, ¿me haces el favor de venir y llevarte a estas niñas?» Entonces, ella entraba y nos decía que nos fuéramos a otra parte. «Venga, niñas —solía decirnos—, John se quiere vestir.»

Como mi padre trabajaba hasta muy tarde, John y ella se sentaban a charlar y escuchar música después de habernos acostado. Desde el principio fue admiradora de Elvis y crecimos escuchando sus discos, entre otros. A mamá le gustaba hasta tal punto que cuando tuvimos un gato (a instancias mías), se llamó Elvis. Luego resultó que el gato tuvo gatitos y parió bajo la alacena de la cocina —entonces nos dimos cuenta de nuestro error—, ¡pero siguió llamándose igual!

A veces veíamos a mamá y a John bailar en el salón los grandes éxitos de Elvis. Siempre ponían *Hound Dog*, *Heartbreak Hotel*, *Jail House Rock* y *Teddy Bear*. Cuando nuestra prima Leila estaba en casa, bailaba con ellos. A pesar de la diferencia de edad de tres años, ella y John se llevaban excepcionalmente bien. Stan, el hijo de Mater, y ellos eran los primos mayores y solían pasar las vacaciones juntos, en Escocia. A final de curso, cuando Stan salía del internado, los tres cogían el autobús para Edimburgo, ciudad en la que Bert, padrastro de Stan, trabajaba como dentista.

«Nos encantaba ir a casa de Mater —dice Leila—. Era muy afable y permisiva con los niños. John era también una persona dulce y encantadora. Con frecuencia manteníamos conversaciones serias. Discutíamos sobre las cosas buenas y malas del mundo y lo que queríamos hacer de nuestras vidas. También me gustaba mucho estar con Julia. Era una compañía excelente. Se volvía loca con sus hijas pero sé que reservaba un lugar muy especial en su corazón para John. Después de todo, era su primogénito y su único hijo varón.»

Mi madre nunca mostró ningún favoritismo. A veces me sentaba en sus rodillas y escuchaba una y otra vez un disco que se llamaba *Mi hijo John* que cantaba un barítono de voz profunda. Pero ni mi hermana ni yo sentimos nunca que se nos dejara de lado.

La recuerdo teniéndome a su lado, abrazada, con mis mejillas junto a las suyas, y mirándonos las dos al espejo. Me decía: «Oh, cuánto te quiero». No tenía inhibiciones para demostrar sus afectos.

Le gustaba jugar con nosotras. Para Julia, jugar era una cosa seria. Su juego favorito consistía en transformar la cocina en cooperativa, para poder jugar a las tiendas. Siempre hacía el papel de dependienta encantadora.

«Buenos días, señora —nos decía a mis amigos y a mí—. ¿Qué desea?» John, con un bigote negro de papel, era el cajero. En esa época, en las tiendas de verdad había un alambre a la altura de la cabeza con una especie de lanzadera que trasladaba el cambio entre el mostrador y la caja. Mi madre hizo un apaño en la cuerda de tender la ropa dentro de casa, que contaba con un sistema de poleas y unas tablillas de madera en las que se colgaban los vestidos y luego se subían hasta que estaban secos. Ponía el dinero para nuestras «compras» en una tacita de estaño, la fijaba a la cuerda y se la enviaba a John a través de la cocina. Cuando él le mandaba el cambio, le solía decir con voz fingidamente afectada: «La señora dice que le da de menos». John contestaba igual de afectadamente, para que la ficción les resultara creíble a sus hermanitas: «Dígale de mi parte a la señora que aprenda a contar». Una tarde, cuando mi padre abrió la puerta de la cocina en medio del juego de las tiendas, se le cayó el tendedero en la cabeza. Durante, por lo menos, dos segundos se quedó helado mientras mi madre se partía de risa.

Una de las salidas especiales que hacíamos era ir de visita a casa de Nanny, quien vivía «sobre el agua», frase que en Liverpool significa al lado del río Mersey, en Cheshire. Para llegar allí teníamos que coger el tren que pasa por el famoso túnel de tres millas de Mersey, en aquella época el túnel de mayor longitud bajo el agua. En cuanto el tren penetraba en el negro vacío, mamá y él empezaban con una de sus actuaciones a dúo. Jacqui y yo éramos un público encantadoramente crédulo. «¡Mira, mira! —gritaba John—. ¿Has visto esa sirena?» Hacía muy bien el papel de hermano mayor en este juego bobo e infantil. «¡Dios mío! —contestaba mi madre—, juraría que era un tiburón con los labios pintados». Les encantaba hacer este tipo de bromas. Y cuanto más estrafalario era el juego, mejor se lo pasaban.

John siempre nos entretenía a Jacqui y a mí con dibujos graciosos que hacía mientras le mirábamos. Era un buen dibujante, desde el principio, cuando ilustraba de niño los libritos que escribía con caricaturas trazadas en un instante, los monstruos extraños y los dibujos psicodélicos de la pared de su alcoba en Menlips. Si estaba cuando teníamos que hacer deberes en los que se necesitaba alguna ilustración, nos ayudaba, y dibujaba un dinosaurio aterrador o un soldado romano con su magnífico uniforme. Nuestros profesores se debían dar cuenta de que esos dibujos no los habíamos hecho nosotras.

Si nuestros compañeros del colegio estaban allí, John también les ayudaba con sus deberes. Hace poco me encontré con una compañera de colegio que me dijo que le habría gustado conservar todos los dibujos que John le había hecho en sus cuadernos de deberes. Seguramente esta habilidad la había heredado de nuestra madre, que pintaba y dibujaba tan espontáneamente como él.

Cuando nos contaba cuentos, que se iba inventando sobre la marcha, nos dibujaba a los personajes en un bloc a medida que avanzaba la historia. A veces pintaba con acuarelas un bodegón de un frutero con manzanas en la cocina o un cuadro del mar cuando íbamos de vacaciones a Rhyl, en el Norte de Gales. Una vez pintó un narciso amarillo gigantesco en una de las paredes del baño. Debajo escribió: «Quieres que tus dientes se parezcan a este narciso de primavera? Entonces no te los laves».

Tenía un temperamento artístico con muchas facetas, y no era la musical la menos destacada. «Mi madre tocaba cualquier instrumento de cuerda», dijo John con orgullo en una ocasión. Su favorito era el banjo de nácar que había pertenecido a su abuelo Stanley, el cual le había enseñado a tocarlo siendo niña. Pero, aparte de eso, no tenía otra instrucción musical. Tocaba siempre de oído, lo mismo que John. Solía tocar y cantar canciones infantiles como *Tres ratones ciegos* y una versión chistosa de *Mi hijo John*, que decía:

Temblando, temblando mi hijo John
se acostó con los pantalones puestos
un calcetín quitado y el otro puesto
temblando, temblando mi hijo John.

Ésta nos encantaba de pequeñas. Aplaudíamos y gritábamos de alegría, en especial si estaba presente el sujeto de la canción. Fue una madre divertida, no cabe la menor duda.

Era la que mejor cantaba de la familia, mejor incluso que John. Y empezaba a bailar en cuanto sonaba un disco. También era una imitadora estupenda y, con frecuencia, hacía a la gente desternillarse cuando parodiaba a algún personaje local al que todos conocíamos. Otra de sus habilidades eran los juegos de manos. Podía hacer que las naranjas volaran alegremente por el aire con la misma rapidez que cualquier malabarista profesional. Durante cierto tiempo acarició la idea de cantar y tocar el banjo semiprofesionalmente. Iba a tener *manager* y un agente para controlar la taquilla. No iba a ser un debú estilo Broadway, simplemente quería actuar en pubs y fiestas de las distintas organizaciones locales. Actuó un par de veces, pero cambió de opinión. Era demasiado alegre para tomarse en serio otra cosa que no fuera su familia.

El protagonista de todas las reuniones nocturnas en casa era el gran gramófono de mi padre. A través de él, Jacqui, John y yo conocimos esa extraña música nueva que provenía de América y se llamaba Rock'n'Roll y que se habían traído consigo los marineros. Desde el momento en que mi padre puso un disco de Elvis para que John lo escuchara por primera vez, se convirtió en un adicto inveterado. Lo mismo le sucedió cuando le presentó a Buddy Holly por medio del gramófono.

«La primera melodía que aprendí en mi vida fue *That'll Be The Day* —le dijo John a una periodista años después—. Mi madre me la enseñó con el banjo; se sentaba ante mí con infinita paciencia hasta que conseguía que tocara bien todos los acordes. Era una perfeccionista. Me hacía repetirla una y otra vez hasta que me salía bien. Recuerdo que ponía el disco más despacio para que pudiera garabatear la letra. La primera vez que escuché a Buddy me quedé absolutamente fascinado. ¡Y pensar que era mi propia madre la que me lo estaba descubriendo todo!»

El primer instrumento musical que tuvo John fue una vieja armónica que le regaló George, el marido de Mimi. Era su tesoro más valioso. La llevaba consigo a todas partes porque no quería perderla de vista ni un momento. Y, naturalmente, al principio de las vacaciones escolares se la llevó a Escocia cuando fue a pasar unos días con Mater.

Mimi lo recuerda: «Ensayaba y tocaba en el autobús todo el tiempo —dice—. Estoy segura de que volvía locos a los otros pasajeros. En cualquier caso, al conductor le gustó y cuando finalmente llegaron a Edimburgo le dijo a John que si volvía por la estación a la mañana siguiente, le regalaría una buena armónica. John tuvo despierto hasta las tantas a todo el mundo en casa de Mater, sin parar de hablar de ello. Por la mañana, lo primero que hizo fue ir a la estación de autobuses.

»Seguro que el conductor no podía ni imaginarse qué era lo que había puesto en marcha».

John adoraba a su tío George y George le correspondía. Como Alf estaba ausente, John le consideraba un padre y, para George, John fue el hijo que nunca había tenido. Un domingo por la mañana, en junio de 1955, cuando John tenía catorce años y medio, su adorado tío sufrió un colapso y cayó muerto a causa de una hemorragia hepática. Leila, que en aquella época tenía dieciséis años, recuerda claramente lo sucedido: «Nadie sabía que George estaba enfermo. Todo ocurrió sin previo aviso. Fue un golpe terrible para todos nosotros, pero especialmente para John que le consideraba como un padre. George era un gigante cariñoso, de seis pies de altura coronados por un abundante pelo plateado, que a veces chocaba contra el quicio de la puerta cuando entraba en una habitación. Era el hombre más amable, afable y tranquilo del mundo, nunca tenía una palabra desagradable. Él y John siempre compartieron secretillos. Era muy afectuoso. John insistía en darle ‘‘crujidos’’, como llamaba a los besos, antes de que George le acostara».

Mimi es, y siempre lo fue, una persona exigente con los demás. Pero se exige a sí misma los mismos elevados valores. Ella y John discutían en ocasiones sobre asuntos relacionados con la disciplina cuando él empezó a hacerse mayor. George era su buen amigo, el aliado que estaba de su parte cuando las cosas se ponían mal con Mimi. Eso hizo que la pérdida de su tío le resultara más dura. Posteriormente, afirmó: «Nunca he aprendido a estar triste en público, no sé lo que hay que decir y todas esas cosas. Así que me fui al piso de arriba con Leila. Los dos estábamos histéricos. Y empezamos a reírnos como locos. Después me sentí muy culpable porque quería mucho a George. Pero supongo que no lo podía exteriorizar. George siempre fue excepcionalmente bueno conmigo».

Nuestros tíos eran así. Nunca fueron los cabezas de familia, los que imponían la ley. Las Stanley tenían demasiado carácter como para soportar que las trataran como normalmente se trataba a las mujeres. Y a causa de sus personalidades especiales, el casi único papel que les quedaba a los maridos era el de proveedores.

Leila explica: «La función primaria de los hombres era fabricar dinero. Sólo eran con ellos lo suficientemente agradables como para que les pagaran las facturas. Nunca hubo riñas ni gritos. Lo que pasaba es que los hombres no eran muy importantes. Era una familia muy grande, con muchos niños que exigían atención y los hombres, simplemente, no existían».

Al crecer, John se debió dar cuenta de esta actitud hacia los hombres. Acaso contribuyera a fomentar el machismo de Los Beatles en su primera época o el papel de hombre de su casa que adoptó cuando nació su segundo hijo, Sean.

En 1982, Yoko discutió este punto con mi coautor, Geoffrey Giuliano. Le dijo: «John fue un inglés que creció en un hogar donde la influencia femenina primaria era excepcionalmente vigorosa, independiente, al mismo tiempo, cariñosa. Probablemente escucharía cosas como: ''Cariño, es hora de poner la leche a los gatos'', y los hombres eran los que cuidaban el jardín. John también era así. Para él era algo natural hacer el té para los dos. Él tenía un lado vulnerable y yo un lado duro, supongo. Así que de vez en cuando nos cambiábamos los papeles. Para él y para mí fue algo muy natural».

De niño, John era más feliz con su papel de cabecilla en su círculo de amigos. Era atrevido y no tenía miedo. Casi siempre que se planteaba alguna situación aventurada, allí estaba él al frente. Nunca temió plantar cara a sus profesores y siempre llegaba hasta el límite del comportamiento aceptable. Si alguno de sus amigos lanzaba un reto, John era el primero en recogerlo. Le encantaban los desafíos. Si hubiera nacido en otra época, probablemente habría sido explorador.

Paul McCartney también se crió en Liverpool, aunque no le conocimos hasta los catorce años. Así es como vio a John, el escolar:

«Creo que John tenía una gran ansia por ver mundo. Tenía vena de aventurero. Se notaba por su manera de comportarse.

»Siempre se metía de cabeza en cualquier cosa y con la mayor seguridad. Si no hubiera sido Beatle, me lo puedo imaginar al final de su adolescencia en un escenario trabajando como artista comercial. Luego, con veintiuno, veintidós y veintitrés años, se habría ido en barco a alguna parte. Como muchos británicos, tenía esta especie de actitud colonial: ''Vamos a ir y, después de dominar a los nativos, les enseñaremos un par de cosas''. Así era John».

CAPÍTULO 2

EL BAÑO DE LOS BEATLES

They said that our love was just fun
The day that our friendship begun
There's no blue moon in history
There's never been that I can see...[*]

LENNON-MCCARTNEY, de su primera composición *Just fun*.

Cuando tenía unos doce años, pensaba que debía ser un genio, pero nadie se daba cuenta. Si existen los genios, yo soy uno de ellos. Y, si no existen, no me importa.

JOHN LENNON

[*] *Dijeron que nuestro amor era sólo diversión/ El día que empezó nuestra amistad/ No hay luna triste en la historia/ Nunca la ha habido por lo que sé.*

Todo el mundo habló del mayo de 1956 durante semanas. Lo mismo que nosotros. Pero no porque hubiera sido el más caluroso de los últimos cuarenta y cuatro años y el más seco del último medio siglo. A la «madura» edad de quince años y medio, nuestro hermano mayor se había lanzado al mundo del espectáculo en su primera actuación en público. De acuerdo que el escenario no era otra cosa que un camión de carbón, pero para mi hermana Jacqui y para mí, con seis y nueve años, fue un acontecimiento increíblemente fascinante. Ese día habíamos ido de excursión con la escuela dominical hasta la colina Helsby, un sitio precioso. Cuando regresamos a la iglesia, nuestra madre nos estaba esperando para darnos unas noticias fantásticas. En vez de llevarnos rápidamente a casa para cenar y acostarnos, nos iba a llevar a ver cómo John y un grupo de compañeros del colegio hacían su debú.

Por aquella época, nunca veíamos a John sin su guitarra, la que nuestra madre le había comprado por diez libras y que ya estaba bastante maltrecha por el uso. Una dieta a base de Lonnie Donegan y Elvis Presley a 78 r.p.m. le había arrastrado a sentir un salvaje entusiasmo por la música pop de los años 50. Él y sus amigos estaban siempre por casa tocando la guitarra. Por alguna razón, a nuestra madre nunca le molestó el ruido. Nada de eso. Le encantaba. Cuanto más se estremecía la casa con el ritmo del rock and roll, más le gustaba. Entre sus preferencias musicales se encontraban la música clásica y el jazz. Muy diferente era el caso de Mimi, la tía con la que vivía John. Sus gustos musicales eran muy distintos de los de su hermana y consideraba que la música rock era un ruido intolerable. Además, pensaba que John debía estudiar, empollar para sus exámenes del GCE* que tendrían lugar al año siguiente, y no andar tocando guitarras.

John era, naturalmente, el líder del grupo. Desde que era pequeño, con su pandilla, siempre había sido de los que mandaban.

No se puede decir gran cosa de sus instrumentos. Dos guitarras baratas, un banjo, una tabla de lavar y un juego de tambores, de los cuales uno lo habían conseguido haciéndole la pelota a un tío. Por aquella época, había en Liverpool cientos de muchachos atrapados por el fervor musical y los grupos hacían cola para demostrar su talento. John y su grupo tuvieron finalmente su gran oportunidad cuando les invitaron a tocar en una fiesta callejera que daban los vecinos de la calle Rosebery para celebrar el Día del Imperio. John le indicó a mi madre que se tenía que bajar del autobús en la Avenida Princes. Caminamos casi toda la longitud de la avenida sin encontrarle cuando, de repente, oímos los primeros débiles compases de un sonido decididamente familiar. El ruido nos condujo hasta allí. Encontramos a John y sus cuatro ami-

---

* Abreviatura de General Certificate of Education. Cualquiera de los dos exámenes públicos sobre asignaturas específicas que se hacen al terminar el colegio y que sirven o bien para tener un certificado escolar o bien para entrar en la universidad.

gos subidos en un camión que estaba aparcado en medio de la calle tocando con toda su alma un delirante rock and roll mientras que los vecinos más jóvenes de Rosebery bailaban con frenesí, a la vez que se arremolinaban a su alrededor. La gente estaba asomada a las ventanas de las casitas con terraza, riendo y gritando, y las mujeres, en el umbral de las puertas, bailaban al son de la música. Nunca habíamos visto nada parecido y ¡nuestro hermano estaba en medio de todo aquello!

John acertó a vernos y nos subió a las dos niñas con él mientras que mamá se apoyaba en una farola y nos observaba sonriente. Y allí nos sentamos, con la boca abierta, mientras Johnny y los Rainbows —que es como se llamaban esa noche porque todos llevaban camisas de distintos colores— aceleraban. No cobraron, por supuesto. Consideraban que era un privilegio que les hubieran permitido actuar.

«No nos importó que no nos pagaran —recordaría John después—. Tocábamos para divertirnos. Cambiábamos constantemente el nombre del grupo, cada vez le llamábamos una estupidez diferente. Recuerdo que una noche lo cambiamos tres veces antes de llegar a nuestro número final.

»Después de la calle Rosebery, tocamos en fiestas, bailes locales y cosas así. Si teníamos suerte, sacábamos algunos chelines. A veces actuábamos en una boda y era fenomenal porque, por lo general, significaba que teníamos gratis toda la cerveza que pudiéramos tragar acompañada de una buena comida.»

Mi madre era la encargada extraoficial del vestuario del grupo. Iba al mercadillo al aire libre de Garston y allí compraba las camisas de colores que se pondrían en su próxima actuación. Lo que se llevaba era la imagen de *Teddy Boy*, así que llevaban corbatas de cordones de zapatos y se arreglaban los pantalones para que les quedaran muy estrechos. Si podían convencer a sus madres, se hacían cortes de pelo tipo pato.

Nuestra madre tenía la manga muy ancha. Además era su mayor admiradora. Recuerdo lo orgullosa que se sentía de que John hubiera sido capaz de acometer él solo una tarea tan ambiciosa. Nunca le dio la lata con sus deberes escolares ni le dijo que debía volver a casa de Mimi y ponerse a trabajar. Inevitablemente, y con tanta diversión, desde el punto de vista académico no había progresado nada en absoluto. En el colegio de Quarry Bank le habían puesto entre los mediocres. «La clase de los muñecos», como la llamaba él.

El único examen público que aprobó en toda su vida fue el Eleven Plus* para ingresar en Quarry Bank, un colegio anticuado, exclusivamente para chicos, en el que los maestros imitaban a sus colegas de los colegios públicos y llevaban togas negras. John hubiera preferido, con mucho, el estilo informal que tiene el centro en la actualidad. Se ha unido con un colegio de niñas que había al lado y se ha convertido en un gran colegio integrado similar a una universidad.

Los dos mejores amigos de John eran su compañero de clase Pete Shotton e Ivan —*Ivy*— Vaughan, que vivía cerca de John pero asistía al Instituto de Liverpool. Este instituto era para los chicos más brillantes. Era el más famoso de todos los colegios de Liverpool y en su deslumbrante lista de antiguos alumnos se puede encontrar a jueces, políticos, incluso a un ganador del Premio Nobel, y, finalmente, a uno de los músicos más famosos del mundo: Paul McCartney, compañero de clase de Ivan Vaughan.

---

* Examen que se hace en Inglaterra y Gales a los niños de once y doce años. Es una especie de selectividad para pasar a la escuela secundaria.

Con la gran experiencia de ocho semanas, los miembros del grupo de John se consideraban expertos y viejos profesionales y pensaron que era el momento de elegir un nombre permanente. Escogieron Los Quarrymen. Su primera actuación con ese nombre tuvo lugar el 15 de junio en la fiesta de nuestra parroquia, en Woolton. John había asistido allí a la escuela dominical cuando era pequeño y nosotras todavía asistíamos. Coincidieron la oportunidad y la suerte, y nuestro hermano y Paul se conocieron.

Hace poco fui a ver a Paul a su elegante oficina de Soho Square, en Londres. No le había visto desde hacía años y descubrí que apenas había cambiado. Seguía siendo el mismo Paul que había conocido aunque con un aspecto distinguido. Le llevé una caja de Everton Mints, los famosos dulces de Liverpool, para recordarle lo que una vez fue nuestro hogar. Estuvo cariñoso y cordial, era la misma persona amistosa de siempre, a pesar de que ahora es multimillonario y ha dejado de ser aquel chico de barrio que conocimos el día de la fiesta de Woolton.

Estoy segura de que él lo recordaba. Fue un hito en la historia de Los Beatles, la primera gota de la corriente que alimentó al afluente que desembocaría en el río de la Beatlemanía.

«Un día, en el colegio, Ivy Vaughan me invitó a una fiesta que tendría lugar al domingo siguiente —me dijo Paul—. Tenía cerca de catorce años y John cerca de dieciséis. Recuerdo que llegué a la fiesta cruzando los campos y escuché una música estupenda que resultó provenir del pequeño equipo Tannoy de Los Quarrymen.

»Me interesaba muchísimo la música. Ivy dijo que conocía a un par de chicos del grupo. ''Cuando terminen, te los presentaré'', me prometió. John estaba cantando una deliciosa canción de los Del Vikings que se llama *Come Go With Me.* La había escuchado en la radio y no se sabía toda la letra, así que se la inventaba. *Come go with me down to the penitentiary* y cosas así. Su guitarra tenía sólo cuatro cuerdas y la tocaba como si fuera un banjo, con acordes de banjo, que era lo que sabía tocar. No llevaba las gafas y parecía muy afable. Hasta que apareció Buddy Holly, los chicos que llevaban gafas se las quitaban siempre para tocar. Después cualquiera que realmente las necesitara podía utilizarlas.

»Siempre pensamos que John era bastante tranquilo. Era un poco mayor y le permitían hacer cosas que para nosotros estaban prohibidas. Llevaba el pelo hacia atrás, con fijador, como un pato. Si a eso le unimos sus patillas, tenía toda la pinta de un Teddy.

»Cuando terminaron, nos vimos en el hall de la iglesia. Estuvimos hablando y cogí una guitarra que había por allí y empecé a tocar *Twenty Flight Rock.* Supongo que estaba intentando darme importancia. Me sabía la letra y ellos no. Y eso tenía mérito.

»Luego hice mi imitación de Little Richard y canté todas las canciones suyas que conocía. Parecía que John estaba muy impresionado. Me llevaba casi dos años, así que para mí era un tipo mayor.

»Después nos fuimos al pub y tuve que engañar al camarero con el cuento de que ya tenía dieciocho años. Luego corrió la voz de que a lo mejor se necesitaba un poco de "fuerza muscular", porque había una pandilla por la calle que amenazaba con entrar y tomar el pub por asalto. Me asusté un poco. Había salido para pasar fuera un día agradable y ahora estaba allí, con todos esos hombres a punto de liarse a golpes. Gracias a Dios, todo pasó y la noche resultó estupenda.

»Un par de semanas después, Pete Shotton, el compañero de John, vino a mi casa en bicicleta y me preguntó si quería unirme a Los Quarrymen.

»Una de las primeras cosas que descubrí de John, cuando llegué a conocerle, es que provenía de un mundo muy distinto del mío, de clase trabajadora. Mi familia vivía en bloques de casas, lo mismo que las del resto de Los Beatles. Mi padre era dependiente y vendía artículos de algodón y mi madre era comadrona y vivíamos en la casa del Ayuntamiento que ella tenía asignada por su trabajo.

»Los parientes de John eran de clase media. Recuerdo que me quedé muy impresionado cuando vi en Mendips, en casa de John, las obras completas de Winston Churchill. Pero me impresionó mucho más que las hubiera leído.

»Parecía que tenían mucho dinero, al menos desde mi punto de vista. Recuerdo que una de sus tías le dio cien libras el día que cumplió veintiún años.

»Hablaba de gente que conocía su familia y que trabajaba en la BBC, o de su tío, que era dentista, y su tía, que vivían en Escocia. Para mí, todo eso era muy exótico. Al parecer, había ido a Edimburgo, solo, en varias ocasiones cuando tenía doce años. ¡Qué aventura! Lo más lejos que yo había llegado, y siempre con mis padres, era hasta Skegness, casi al lado de Liverpool.»

Nosotras habíamos ido, por supuesto, a la fiesta de Woolton con nuestra madre y con dos de sus hermanas, nuestras tías Harrie y Nanny. Estaban encantadas con Los Quarrymen. Mimi, la tía que tenía una relación más estrecha con John, había decidido no ir. No era el tipo de cosas que le gustaban. Prefería, con mucho, la música clásica y las orquestas de baile típicas de los años 50 que escuchaba en la BBC, como la de Victor Sylvester. Además, no quería estimular activamente aquella nueva dimensión en la vida de John, la loca historia del rock and roll.

Cada vez estaba más preocupada por sus escasos progresos en el colegio y sus próximos exámenes. «Si no te pones a trabajar en seguida, Dios sabe qué es lo que va a pasar», le decía. Y, a continuación, llegaba el comentario que se ha hecho famoso: «La guitarra está muy bien, John, pero no vas a poder vivir de eso».

El padre de Elvis le había dicho a su hijo casi lo mismo, y Alan Durban, el profesor de inglés que Paul tenía en el instituto, fue otro de los que se tuvieron que tragar sus palabras. Posteriormente, después de que Paul sacara sobresaliente, le preguntó a Alan qué debía hacer. ¿Asistir al colegio de profesores, como había pensado? o, ¿aprovechar la fantástica oportunidad de tocar en un club de Hamburgo por 20 libras a la semana?

Dice Alan: «En aquella época era una fortuna. Pero le dije a Paul: ''Saca tu título. Siempre puedes tocar la guitarra por la tarde''. Afortunadamente, no me hizo caso».

A veces Mimi desaprobaba el comportamiento de John y el de sus amigos. Pensaba que algunos de ellos eran un poco groseros y completamente irresponsables, que no eran buenos para John.

Paul la recuerda con toda claridad. «Era una mujer enérgica de clase media —me dijo—. La mayor parte de las mujeres que yo conocía no eran de su posición y, para ser sincero, eran bastante vulgares. Mimi no era así en absoluto. Todavía puedo escucharle decir con sus maneras grandilocuentes: ''John, tu amiguito ha venido a verte''. El tono era bastante desdeñoso y parecía implicar que no tenía buena opinión de ti. Pero en cuanto me empezaban a asaltar deseos de haberme quedado en casa, observaba un destello malicioso en sus ojos que me comunicaba que, después de todo, yo le caía bien. Tenía la costumbre de mantener a la gente a distancia. Pero yo tenía la impresión de que le caía mejor que otros amigos de John.

»En el piso de arriba, John solía estar ocupado escribiendo a máquina con su famoso estilo *In His Own Write*. Me impresionaba muchísimo. No conocía a nadie que tuviera máquina de escribir.

»Nunca tocábamos la guitarra dentro de la casa de Mimi. Si no íbamos a casa de Julia, practicábamos fuera, en el porche acristalado. John me dijo que Mimi le había desterrado allí el primer día que había llevado la guitarra a casa, a causa del ruido. Pero no le importaba. Le gustaba tocar en el porche porque el sonido de las guitarras rebotaba muy bien en los cristales y en los azulejos».

La rápida ascensión de John a la fama en la ciudad produjo sus efectos entre la población escolar femenina de nuestro barrio. Ser el jefe de Los Quarrymen y que anduviera pavoneándose por ahí con aspecto de *Teddy* le hacía mucho más interesante que el compañero de colegio con la cara llena de granos que, para impresionar a las chicas, contaba solamente con una bicicleta. Su primera admiradora hecha y derecha fue una rubia de cabellos color paja que se llamaba Barbara. Sólo era una colegiala, pero para Jacqui y para mí era como una estrella de cine con un espeso pelo rubio y mucho encanto.

Daba vueltas cerca de nuestra casa durante horas con la esperanza de ver a John. Cuando empezó, Jacqui y yo no nos podíamos figurar qué es lo que hacía. John debió sospecharlo y nuestra madre se lo debió imaginar, aunque era demasiado discreta como para decir nada. Después descubrimos que primero iba a casa de Mimi, donde vivía John normalmente. Y si no le encontraba, venía a nuestra casa andando para ahorrarse el dinero del billete del autobús. Los amigos de John sabían que era la forma segura de encontrarle si no estaba en casa de Mimi. «Pobre chica», solía decir mi madre dando un suspiro tremendo. Un día, Barbara estaba paseándole la calle como siempre y se detuvo al lado de una farola en la que habíamos atado un columpio. Cuando salimos a jugar, me llamó y me pidió que le dijera a John que saliera.

Entré en casa con el recado. John solamente emitió un gemido y le dijo a nuestra madre que, por favor, le dijera que se marchase. Mi madre, un poco molesta por todas estas tonterías, salió hasta la verja y le preguntó firme pero amablemente: «¿Qué es lo que deseas, querida?» Cuando la vio, la pobre chica echó a correr y desapareció.

Jacqui y yo pensamos que era muy gracioso y disfrutamos del drama y de la profunda turbación de Barbara. Salimos corriendo tras ella, con la intención de ponerla todavía más nerviosa, y la alcanzamos al final de la cuesta de la calle. Pero, para sorpresa nuestra, en vez de mostrarse confusa por nuestra actitud, se volvió hacia nosotras como si fuéramos amigas que hacía mucho tiempo que no veía. «Por favor, por favor —rogaba—. Volved a casa y convenced a John para que salga y se encuentre conmigo.» En ese momento, el estado de ánimo de John había cambiado como por ensalmo. Despreocupadamente, salió por la puerta principal y empezó a subir la calle hasta encontrarse con Barbara. Nosotras les seguimos, con la esperanza de que John le diera unos buenos gritos. Lo que sucedió después fue totalmente inesperado. Se abrazaron en un beso apasionado y desaparecieron de nuestra vista entre las altas hierbas que había tras una tapia de piedra.

Nuestras risas tuvieron otro terrible final. Tímidamente, John asomó la cabeza por encima de la tapia y nos dijo en un susurro que nos marcháramos. No lo hicimos, evidentemente, y al final nos tuvo que sobornar con media corona y hacernos prometer que nunca se lo contaríamos a nadie.

Esa misma noche, a la hora de cenar, nuestra madre censuró a John por permitir a Barbara que viniera andando desde Woolton cuando él no la quería ver. Solamente unas oportunas patadas en las espinillas por debajo de la mesa nos impidieron que confesáramos la verdad.

Las admiradoras estaban bien si se presentaban en bandeja; pero, si no, John era un chico de dieciséis años que no tenía mucho tiempo para nada que no fuera la música.

«Antes de Elvis, no había nada —dijo en una ocasión—. Fue Elvis el que consiguió que empezara a comprarme discos. Siempre he pensado que sus primeras canciones eran excelentes.

»Con Bill Haley era diferente. Cuando ponía sus discos por la radio, mi madre siempre pensaba que estaban muy bien. Siempre era en Radio Luxemburgo o la AFN, nunca en la BBC, ya que no estaban a favor de ese tipo de música. Pero a mí sus discos no me decían nada.

»Fui a ver *Rock Around the Clock* y me sorprendió. Nadie gritaba ni bailaba en los pasillos, como había leído. A lo mejor lo habían hecho antes de que yo llegara. Me apetecía arrancar los asientos, pero creo que era el único.

»No, fue definitivamente Elvis el que hizo que me enganchara en la música *beat*.»

Cuando llegaron a Liverpool las dos primeras películas de Elvis, *Love me Tender* y *Loving You*, en el cine Gaumont pusieron una doble función de tarde especial. Naturalmente, John quiso ir a verlas y le preguntó a nuestra madre: «¿Quieres que me lleve a las niñas?»

Con John, habríamos ido a ver lo que fuera. Era un placer extraordinario que nuestro importante hermano mayor nos llevara a cualquier lado. Pero lo que no esperábamos de ninguna manera era que John se pusiera en pie de repente, nos advirtiera que no nos moviéramos ni un centímetro hasta que volviera y saliera corriendo del cine.

Nunca supimos el porqué de aquella cita tan urgente; posiblemente ir a fumar Woodbines detrás de la pantalla. Todo lo que recuerdo es que tuvimos que estar sentadas durante horas, rabiando por marcharnos, y teniendo que tragarnos una dosis doble de las Pathé News, de los anuncios y de Elvis animándonos una vez más. Finalmente, apareció John y nos llevó a un parque cercano para que diéramos una vuelta rápida en el tiovivo y un par de empujones en los columpios antes de llevarnos a casa. «Habéis estado fuera muchísimo tiempo —dijo nuestra madre—. ¿Lo habéis pasado bien?»

«Sí, mamá —contestamos con una débil sonrisa—. Fue maravilloso.» Y salimos corriendo para desahogarnos de la tarde más larga de nuestras vidas. John crecía y se alejaba de nosotras. Iba a cumplir los diecisiete y dos hermanas mucho más pequeñas no tenían gran cabida en su agitada vida de adolescente, repleta de amigos, novias y, sobre todo, de su música.

«Al principio, antes de tener la mía propia, solía pedir prestada una guitarra —diría John posteriormente—. Mi madre me compró una por correo, con una etiqueta dentro que decía: ''Garantía de que no se agrietará''. Supongo que era de muy mala calidad, pero la toqué mucho tiempo y practiqué muchísimo con ella.

»Quise una guitarra porque sentía el deseo de subir a un escenario, como todos los muchachos. Un amigo mío tenía una y aquello me fascinaba. Estaba impaciente por tener la mía propia.

»Mi madre me enseñó un poco, en realidad me dio las primeras lecciones. La mayor parte de nuestro repertorio, entonces, lo componían doce buguis, nada fantástico.

»Por supuesto, Paul apareció más tarde y me enseñó un par de cosas. En conjunto, supongo que tuve suerte por haber podido contar con esa pequeña base musical. Entonces, ni lo pensaba. Lo único que sabía era que me lo estaba pasando magníficamente.»

Paul venía a casa con frecuencia y practicaba con John. Mi madre y él se llevaban francamente bien. Sentía una especie de debilidad por él, que parecía más joven de lo que era y tenía esa carita mofletuda que le hacía parecer un angelical niño de coro. De hecho, lo había sido en San Bernabe, cerca de Penny Lane, hasta que le cambió la voz. Evidentemente, despertaba los sentimientos maternales de mi madre. Él también le tenía mucho cariño.

Paul me dijo: «Siempre pensé que Julia era una mujer excepcionalmente bella. Siempre era muy, muy amable con todos nosotros. John sencillamente la adoraba y no sólo porque fuera su madre, sino por ser una dama de tan elevado espíritu.

»Le enseñó a tocar el banjo y eso es muy raro que lo haga una madre. A mi familia también le gustaba la música, pero ¡no había ni una mujer que supiera tocar el banjo! Ese tipo de actividades, por lo general, se dejaban para los hombres.

»Siempre nos estaba enseñando nuevas melodías. Me acuerdo especialmente de *Ramona* y de *Wedding Bells Are Breaking Up That Old Gang of Mine*. Mucho después, en la época de Los Beatles, John y yo, a menudo, intentamos escribir canciones que expresaran los mismos sentimientos. *Here, There and Everywhere* fue una de ellas.

»Julia estaba viva y llena de alegría e iba muy por delante de su tiempo. No había muchos chicos que tuvieran madres tan progresistas como ella. Mi propia madre, que era enfermera, no es que fuera gazmoña pero era una fanática de la higiene, de tenerlo todo limpio y cosas así. Yo me rebelaba e intentaba llevar mis vaqueros sucios el mayor tiempo posible.

»Pero a Julia le encantaba ver que nos iba bien y, realmente, no se preocupaba mucho de lo que hacíamos. Ése fue uno de mis grandes pesares, que no estuviera allí para ver a Los Beatles».

Cuando John y Paul se conocieron, se puede decir que ya existía el núcleo de lo que después serían Los Beatles. Sólo faltaba el guitarrista, George Harrison, y no estaba muy lejos. George vivía cerca de Paul y, como él, asistía al Instituto de Liverpool. Todas las mañanas iban juntos al colegio en la misma línea de autobús y hacían transbordo en la terminal de Penny Lane, en el cruce de Penny Lane y Smithdown Road, el camino más utilizado para desplazarse al centro de la ciudad.

La terminal era muy pequeña. Tenía servicio de señoras y caballeros y una habitación en la que se sentaban los conductores en sus ratos de descanso y tomaban tazas de té. Hoy los servicios públicos y el *snack-bar* de los conductores han desaparecido y los ha sustituido la Cocina Campestre del Sargent Pepper. Los dueños probablemente no saben lo apropiado que es el nombre del restaurante. Una de las canciones más conocidas del famoso álbum de Los Beatles, *Sargent Pepper,* tuvo sus orígenes en los viajes en autobús al colegio.

«Todo el mundo dice que la canción de Paul del Sargent Pepper, *A Day In The Life*, trata de drogas —dice Steven Norris, ex alumno del Instituto y miembro del Parlamento hasta que perdió su escaño en las elecciones

George, Stuart Sutcliffe y John actuando en Hamburgo 1960.

Izquierda: Toda la familia fue a ver actuar a Los Quarrymen en la fiesta de Woolton, en 1956. John y Paul se conocieron allí.

Los Quarrymen en acción en la calle Rosebery. Mamá nos llevó a Jacqui y a mí.

Los Silver Beatles en una audición con el promotor Larry Parnes, en 1962. El de la izquierda es Stuart Sutcliffe y Johnny Hutchinson toca la batería.

Izquierda: Mimi en 1963. Seguía viviendo en Mendips después del éxito inicial de John.

John en el jardín de Mimi con Julian en brazos.

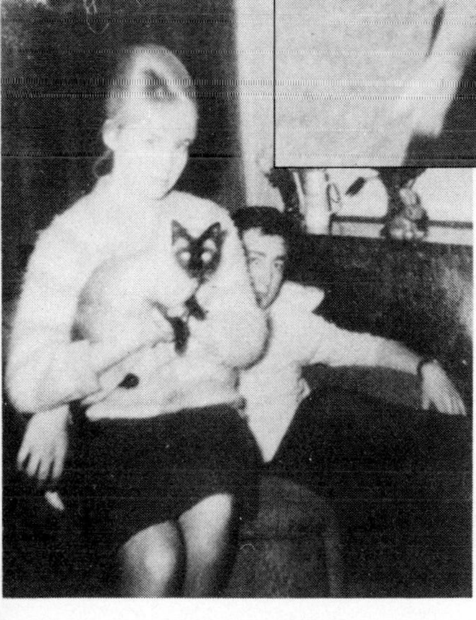

John y Cynthia en 1962, recién casados.

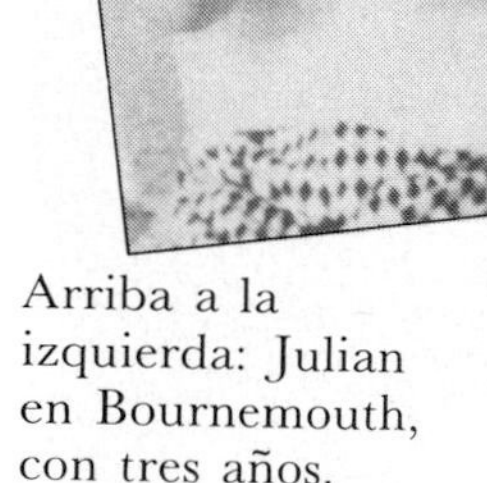

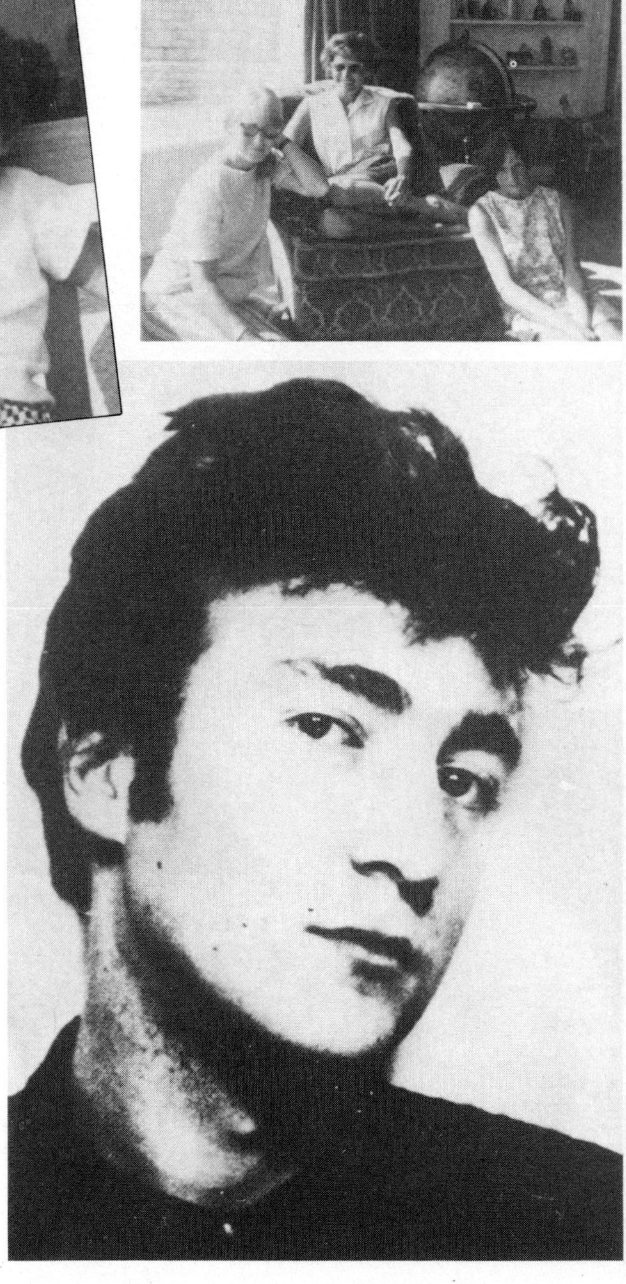

Arriba a la izquierda: Julian en Bournemouth, con tres años.

Arriba a la derecha: Cynthia en casa de Mimi, en Bournemouth, con Harrie y Jacqui, verano de 1965.

John le envió a Mimi desde Hamburgo esta foto suya. Detrás había escrito: «¡Vaya pinta de ''Ven aquí''!»

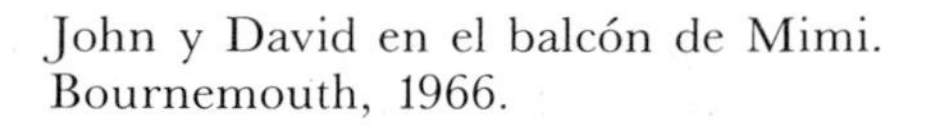

John y David en el balcón de Mimi. Bournemouth, 1966.

Abajo: John en los primeros días del éxito. Se pueden ver las lentes de contacto. Las luces le hacían daño en los ojos, así que terminó llevando gafas permanentemente.

Izquierda: Actuación en vivo durante un especial de televisión en Inglaterra, 1964.

Abajo a la izquierda: John y su codiciada guitarra Rickenbacher.

Abajo: En plena actuación durante la gira mundial de Los Beatles, el 18 de diciembre de 1965. Poco después el grupo decidió dejar de hacer giras.

Haciendo el payaso con Paul en una rueda de prensa en Inglaterra, 1966.

Izquierda: Salto a lo desconocido durante *Help,* 1965.

Abajo a la izquierda: Harrie y Mater retocándose ante el aturdido Paul McCartney antes de uno de los primeros conciertos de Los Beatles.

Abajo: Representación «extra» durante el rodaje de *A Hard Day's Night* en 1965.

Arriba: Los Cuatro Fabulosos posan pa la prensa en el Lag Earn, Escocia, 1964

Izquierda: John y George en pleno vuelo en una de sus giras por el mundo.

Abajo: Los Beatles conocen al Primer Ministro Harold Wilson en 1964.

generales de 1987 y que, además, iba con ellos al colegio en autobús—. Paul siempre ha dicho que trataba de tomar el autobús para ir al colegio y yo estoy de acuerdo. Es exactamente lo que solíamos hacer. Íbamos al piso de arriba, fumábamos un cigarrillo, alguien decía algo y nos poníamos a soñar.

»Así es como lo recuerdo. Levantarte medio amodorrado, alguien te pasaba un peine por el pelo... luego salir y coger el autobús, ir al piso de arriba, como hacíamos nosotros, sin estar todavía completamente despiertos y fumar un Woodbine sin filtro.»

George era un poco crío, estaba en el curso inferior al de Paul y más parecía tener doce años que catorce. Pero estaba loco por la música y eso era lo único determinante, incluso en aquella época en que un curso era casi como un abismo generacional, para que fueran amigos fuera del colegio. Empezaron a pasar gran parte de su tiempo libre juntos, practicando acordes en la guitarra hasta que George, a través de Paul, entró en Los Quarrymen.

Paul me dijo: «George fue siempre mi amigo pequeño. Pero realmente sabía tocar la guitarra, especialmente una pieza que se llamaba *Raunchy* y que nos volvía locos a todos.

»Si alguien era capaz de hacer tan bien una cosa así, era suficiente para llevarle al grupo.

»Conocí a George mucho antes que a John y que a los otros. Todos eran de Woolton, la zona elegante, y nosotros proveníamos de Allerton, que era más de clase trabajadora. George y yo habíamos aprendido a tocar la guitarra juntos y éramos colegas a pesar de su corta edad, o eso me parecía entonces. En realidad, George sólo era nueve meses más joven que yo».

Mi hermano dudaba en admitir a aquel «niño» en

el grupo. George, solamente dos años menor que John, no era un buen fichaje para un veterano como él. ¿Qué pensaría la gente de que el inteligente y popular John se asociara con un chiquillo como George? Sus compañeros eran los que tenían que pensarlo, las chicas no contaban.

Le debió suponer un gran problema tener que elegir entre el talento de George y su propia reputación. Después de todo, la finalidad de pertenecer a un grupo era demostrar que ya eras lo bastante mayor como para poder valerte por ti mismo, sin tus padres. Y, ¿cómo lo ibas a hacer si tenías a tu lado a escuálidos jovenzuelos como George, que acababa de quitarse los pantalones cortos y te deterioraba la imagen? Al final resultó que George era demasiado bueno como para no incluirle en el grupo.

La audición formal de George tuvo lugar en el piso de arriba de uno de los verdes autobuses de Liverpool un día del verano de 1957. Esto es lo que sucedió, según cuenta Paul: «George se deslizó silenciosamente hasta uno de los asientos del autobús medio vacío en el que íbamos, tomó su guitarra y atacó *Raunchy*.

»Unos días después, le pregunté a John: ''¿Qué piensas de George?''

»Lo pensó durante un par de segundos y me contestó: ''Sí, tío, creo que será estupendo''. Y eso fue todo. George entró y nosotros ya estábamos en marcha».

Después de eso, todo lo que hicieron fue ensayar y ensayar. «¿Dónde vamos, muchachos?», gritaba John de repente en medio de una de esas sesiones. «¡A la cumbre!», le respondían todos.

«Y eso, ¿qué es?», era la siguiente pregunta de John.

«¡Cómo! ¡A lo más alto de lo más alto del pop!», era la respuesta final, el grito de guerra de los recién nacidos Beatles.

Jacqui y yo lo escuchábamos y lo veíamos todo. Nuestra casa se convirtió en su refugio. La mayor parte de los otros padres sencillamente no estaban preparados para soportar el constante y estrepitoso martilleo que les destrozaba los oídos.

«Julia era fantástica —dice Pete Shotton, el gran amigo del colegio de John—. Siempre éramos bienvenidos en su casa. Ella era un alma gemela que nos decía todas las cosas bonitas que queríamos oír. Nunca dejó de animarnos para que llegáramos tan lejos como pudiéramos.

»Todos la queríamos porque siempre nos hacía reír. No se tomaba nada en serio, excepto pasarlo bien. Recuerdo que en una ocasión iba caminando por la calle con nosotros y llevaba unas gafas viejas sin cristales. Nos encontramos con alguien que ella conocía y ella metió el dedo a través de la montura y se rascó el ojo, mientras todos nos partíamos de risa. Era única.»

Nunca habíamos considerado como *especiales* las visitas de John a nuestra casa. Eran sencillamente parte de la vida cotidiana, le decíamos «hola» y seguíamos con nuestro juego. Iba allí con tanta frecuencia que su presencia era algo natural y familiar. Era nuestro hermano mayor, que tenía dos casas. A menudo se saltaba la comida del colegio y venía a comer, frecuentemente con un amigo o dos. Cuando nosotras lo empezamos a hacer, siendo ya mayores, íbamos a comer a casa o a casa de Mimi. Siempre había algo bueno esperándonos. Recuerdo que durante mucho tiempo, Leila venía a comer con nosotros casi a diario. Tomaba el autobús en el colegio y se venía a nuestra casa. Ninguna de nuestras tías se sorprendía de que nos presentáramos sin avisar. Éramos una familia intercambiable, razón por la cual nos parecía lógico que John viviera en casa de Mimi.

Pero ahora John estaba empezando a pasar cada vez

más tiempo en nuestra casa y sus estancias eran más largas. Es difícil saber cómo se sentiría Mimi porque pasara tanto tiempo con nosotros. Lo único que espero es que le hiciera feliz ver que, finalmente, estaba redescubriendo a su madre. Tengo la vaga sospecha de que deben haberle producido inquietud las actitudes evidentemente diferentes entre Julia y ella en lo relacionado con la educación de los niños.

Mimi era una ordenancista declarada, que se tomaba muy en serio sus responsabilidades como decana de la familia Stanley. Tenía unas opiniones muy estrictas sobre la permisividad y no aprobaba ni el creciente compromiso de John con la música ni el aspecto de *Teddy Boy* que había adoptado recientemente. Nuestra madre, por el contrario, pensaba que era fantástico. Lo que John hacía le encantaba a su propio sentido de la rebeldía. Veía lo divertido que era mofarse de la autoridad por el simple hecho de estrechar un par de pantalones. Si un poco de fijador producía ese delicioso furor entre los adultos, ¿qué lío no provocaría un poco de apasionado rock and roll?

Nunca olvidaré los hilarantes conciertos improvisados en el baño que compartió con los futuros Beatles. El cuarto de baño de nuestra casa de Blomfield Road era probablemente uno de los más pequeños de Inglaterra. Resultaba cómico ver dentro de él a John, Paul, George, Pete Shotton, Ivan Vaughan, mi madre y, probablemente, un par de amigos más revolviéndose para intentar encontrar un hueco.

Se apretujaban en la bañera, se encaramaban sobre el retrete, se apoyaban contra el lavabo, se sentaban en cuclillas en el suelo o se ponían de pie con una pierna sobre el borde de la bañera para sujetar la guitarra. Cerrar la puerta se convertía en una proeza. A veces pasaban horas allí rasgueando canciones clásicas como *Maggie May, Bésame mucho, Alleycat* o el tema de la película *El tercer hombre.* A veces mi madre se unía a ellos con la tabla de lavar o les hacía las percusiones con una cacerola al revés o con un par de tapaderas a modo de címbalos. La razón de que su lugar de reunión fuera este punto tan particular es que era el mejor sitio, después de un estudio de verdad. Los azulejos de la pared y el linóleum del suelo proporcionaban un aislamiento perfecto, no muy distinto del de los estudios en los que se realizan pruebas de sonido. Y el efecto acústico era magnífico, mejor que el del porche de Mimi.

«¡Qué días aquéllos! —me dijo Paul—. No nos podíamos ni mover. No olvides que, además de nosotros, estaban allí todos nuestros instrumentos y el amplificador.

»Era la mejor habitación, sin ninguna duda. En casa, también utilizaba el excusado para ensayar. Ahora, cuando tengo que ir al baño, me llevo la guitarra en vez de un libro. Me acuerdo que mi padre me decía: ''Paul, ¿qué haces tocando la guitarra en el lavabo?'' Y yo le contestaba: ''Bueno, y ¿por qué no?'' ¡Cuántas hermosas melodías se han escrito en aquel cuartito!»

Los muchachos aparecieron una vez de repente para una de sus sesiones musicales cuando Jacqui y yo nos estábamos bañando y nos sacaron de allí con toda rapidez. Eso quería decir que podíamos salir a jugar hasta que la sesión terminara. Era obligatorio retrasar la hora de ir a la cama. Nos habría sido imposible conciliar el sueño con tanto ruido. Cuando miro atrás me doy cuenta de que nos habíamos convertido en una especie de refugio para John en su lucha, cada vez más ardua, por vivir en paz con Mimi. Mimi, la tía, se vio forzada a asumir el papel de la madre de mano dura, lo que le permitía a Julia, la madre, pasar a ser la siempre indulgente tía.

Además, en lo profundo de su corazón, Julia fue siempre una adolescente que se identificaba fácilmente con John y con sus amigos.

Mimi era la hermana mayor, la dirigente tácita e incuestionable, la que aconsejaba y siempre tenía un hombro dispuesto si querías llorar. Se expresaba con claridad, había leído mucho, era muy culta y tenía una fuerte personalidad. John estaba desarrollando también una fuerte personalidad. Así que, inevitablemente, a medida que él se iba haciendo más maduro y empezaba a imponer su independencia, discutían. Sé que era feliz viviendo con Mimi. La quería mucho y nunca le hubiera hecho daño intencionadamente. Mimi me dijo una vez que un día, cuando John era pequeño, estaba fuera de Mendips, con ella, despidiendo a nuestra madre que volvía a casa.

«Te quiero mucho, mamá», le dijo mientras le daba un beso. Hizo una pausa, se volvió y miró a Mimi. «Pero también te quiero a ti, Mimi.»

* * *

El 15 de julio de 1958, una absurda tragedia golpeó a toda la familia. Yo presentía que iba a ocurrir algo terrible. Ese sentimiento se fue haciendo cada vez más insoportable, pero finalmente entendí su significado.

La tarde había empezado de forma bastante corriente. Mi madre decidió ir a visitar a Mimi, como solía hacer una vez por semana, al menos. Todo era normal. Jacqui estaba en la cama y yo en el jardín jugando con mis amigos. John y mi padre, Bobby, recogían los cacharros después del té.

Acababan de sonar las siete en la radio. Yo estaba sentada en la bicicleta en la parte de delante del jardín, intentando recuperar el aliento después de echar una carrera alrededor de la manzana. Mi madre salió por la puerta y me dijo alegremente: «Me voy a ver a Mimi, cariño», y se dirigió hacia la parada del autobús. Nana, como llamábamos a la madre de Bobby, nuestra abuela, la siguió un par de segundos después y la alcanzó. Iban charlando y mi madre se reía mucho de algo que Nana le estaba contando.

Todavía me puedo ver allí. Mi bici apoyada contra la verja y yo sentada a caballo sobre ella, restregando las sandalias contra el muro y observando a las dos mujeres alejarse.

Era una tarde más, nada especial. Había visto a mi madre y a mi padre caminar por la misma calle docenas de veces. Cuando se iba a trabajar, mi padre se volvía, nos decía adiós con la mano y nos enviaba un beso antes de dar la vuelta a la esquina.

Y esa noche, sin que existiera ninguna razón, empecé a sentir que no era lo mismo que otras veces. Sabía que había algo terriblemente distinto. ¿Cómo siente pánico un niño? Lo que recuerdo es que noté una terrible opresión en el pecho y que quería devolver. Me invadían oleadas de miedo, como si hubiera algo situado encima de mí que me amenazara con su puño inmenso y duro. Sin pensarlo, dejé caer la bicicleta y empecé a correr hacia la parte de arriba de la cuesta a más velocidad que en toda mi vida. Quería alcanzar a mi madre antes de que tomara el autobús. Demasiado tarde. Cuando di la vuelta a la esquina se había ido. Y nunca la volví a ver.

Como se esperaba, llegó a casa de Mimi y las dos se sentaron para mantener una de sus largas conversaciones. Luego, poco después de las diez, mi madre se levantó para marcharse. Generalmente, Mimi la acompañaba por la Avenida Menlove hasta la parada del autobús. Esa noche, Mimi le dijo: «Esta noche no te acompaño, Julia. Te veré mañana». «No te preocupes», le contestó mi madre. Le dio un abrazo y salió a la Avenida Menlove, la carretera de doble calzada a la que daba la puerta. Nigel Whalley, que ostentaba el grandilocuente título de *manager oficial* de Los Quarrymen pasaba casualmente por allí cuando Julia salió por la puerta del jardín. Se detuvieron para saludarse y, luego, mi madre cruzó la mitad de la calle hasta la isleta del centro. Había empezado a cruzar la otra mitad cuando un coche la arrojó por el aire. Murió instantáneamente. Sólo tenía cuarenta y cuatro años.

Tuvieron que pasar muchos años antes de que John reuniera valor para hablar de aquella noche. Y lo que dijo fue lo siguiente: «Una hora o así después de que hubiera sucedido, vino un poli y nos informó sobre el accidente. Fue horrible, como una película espantosa en la que te preguntas si eres el hijo de la víctima y todo eso. Bueno, pues yo lo era y puedo asegurar que fue la peor noche de toda mi vida.

»Perdí a mi madre dos veces. La primera, cuando era un niño de cinco años y, de nuevo, con diecisiete. Me produjo muchísima amargura. Acababa de empezar a reestablecer una relación con ella cuando la mataron. En muy pocos años habíamos llegado a entendernos. Nos llevábamos muy bien. Así que en lo más hondo de mi ser, pensé: "¡Carajo! Ahora ya no tengo responsabilidades reales para con nadie".

»Bobby y yo cogimos un taxi y nos fuimos al Hospital General Sefton, donde yacía muerta. Recuerdo que fui diciendo incoherencias al taxista, histérico, todo el trayecto hasta el hospital. Evidentemente, no habría soportado verla. Bobby sí que entró durante unos minutos, pero fue muy fuerte para el pobre y, finalmente, se echó a llorar en mis brazos en el vestíbulo. Yo no podía llorar. Me parecía que estaba congelado por dentro».

Cuando sucedió el accidente, Jacqui y yo llevábamos un buen rato durmiendo. Me desperté y vi a Nana que se deslizaba en mi inmensa cama doble. Siempre dormía conmigo cuando se quedaba a pasar la noche. Me acercó amorosamente a ella y me volví a dormir. Me despertó de nuevo la llegada de Jacqui a la cama.

Pocos minutos después escuchamos el más terrible de los sonidos que provenía de la alcoba de nuestros padres, el cuarto de al lado. Era nuestro padre llorando, espantosos y atroces sollozos que se alternaban con gemidos terroríficos. Era aterrador. Nana nos arropó con el edredón y nos dijo que nos volviéramos a dormir. Se fue a consolarle. Cuando nos levantamos por la mañana, papá se había ido. «¿Dónde está mamá?», le pregunté a Nana.

«Anoche se quedó con Mimi, eso es todo. No te preocupes, cariño.»

¿Se había quedado con Mimi? Nunca lo había hecho. Siempre estaba allí por la mañana para darnos el desayuno. Pero no había ninguna razón para no creer a Nana. Los mayores nunca mienten. Era desconcertante.

En el colegio, la cosa empeoró. El director, un hombre encantador, nos llevó al estudio y nos estuvo haciendo carantoñas la mayor parte de la mañana. Los profesores entraban, nos besaban y nos sentaban en sus rodillas. Uno de ellos me llevó a los aseos de niñas y me ayudó a que me lavara las manos y la cara. Con once años, yo ya sabía hacerlo sola bastante bien.

La sobredosis de amabilidad era siniestra. Me sentía muy, muy asustada. «¿Qué pasa? ¿Qué es lo que sucede?», le grité al director aterrorizada.

«Me temo que tu madre ha tenido un accidente. Está en el hospital.»

La siguiente conmoción se produjo cuando llegamos a casa. Mater y Bert, nuestros tíos de Edimburgo, estaban en mi cuarto metiendo nuestra ropa en dos grandes maletas.

«Chicas, os vais a venir a Escocia a pasar unas vacaciones con nosotros —dijo Mater en tono alegre y normal—. ¿No es fantástico?» Bajó un poco la voz. «Vuestra madre está muy enferma, niñas. Así que, de momento, no os permitirán que le hagáis visitas.»

Levantó la voz y volvió a ser la alegre Mater. «En cualquier caso, lo vamos a pasar de maravilla en Escocia.» Nuestro padre reapareció brevemente y volvió a desaparecer. Estaba pálido y tenía un aspecto muy raro. «Va al hospital a ver a mamá», nos explicó Mater.

Me resulta dificilísimo entender cómo fueron capaces de representar tan terrible e inolvidable charada. Después de seis semanas en Escocia, volvimos a Liverpool y nos quedamos con nuestra tía Harrie. No se había vuelto a mencionar el accidente. Contestaban con evasivas a nuestras preguntas, hasta que dejamos de preguntar. Yo sabía que debía haber muerto. Como dijo John una vez: «Una conspiración de silencio es más elocuente que las palabras».

No lo sabíamos, pero ya se había celebrado el funeral. Fue en el cementerio de Allerton, muy cerca de nuestra casa. La familia no se debió dar cuenta de lo cruel que era dejarnos al margen del dolor común. No éramos criaturas. Ya éramos unas niñas bastante mayores. Debieron entender que, tarde o temprano, nos lo tendrían que decir. Acaso esperaban que, finalmente, nos olvidáramos de nuestra madre por completo y todo quedara ahí. Era una de las viejas máximas de la familia: *Nunca se lo digas a los niños.* Esta vez se equivocaron más que nunca. Incluso ahora, que soy una mujer de cuarenta años, me siento muy resentida por la manera en que se comportó la familia. Leila, mi prima mayor, estudiaba

Medicina en la Universidad de Edimburgo. Cuando sucedió, estaba desempeñando un trabajo de vacaciones como doncella en el campamento de verano de Butlin. Recibió un telegrama que decía: JUDY ACCIDENTE DE COCHE. MURIO VIERNES. FUNERAL MARTES.

Dice Leila: «Salí para casa inmediatamente. Lo único que podía pensar era ''pobre John''.

»Recuerdo que él y yo nos dirigíamos al funeral completamente aturdidos. Parecía que había muchísima gente, pero a muchos no los reconocí. No lo podía soportar. Odiaba el funeral y a todos los que estaban allí. Me resultaba imposible creer que Julia estuviera en aquella caja. Me puso mala ver a todos esos extraños acercándose a la tumba y arrojando flores y puñados de tierra sobre su ataúd. Sólo podía pensar en Julia estando en casa, feliz y riéndose como hacía siempre.

»Después, todos nos fuimos a mi casa, El Cottage, y John y yo nos sentamos en el sofá; él puso la cabeza en mi regazo. No dije una palabra. Ni siquiera recuerdo haberle dicho que lo sentía. No había nada que decir. Los dos estábamos paralizados por la angustia».

Dieciocho meses antes, Paul también había perdido a su madre. Murió de repente, de cáncer de mama, un mes después de que se lo diagnosticaran, porque nunca se había quejado de los dolores hasta que fue demasiado tarde. Todavía puedo escuchar a mi madre decirle a John: «Debes traer a Paul a casa para que tome algo. Pobre chico, perder a su madre...» Le daba pena. Qué irónico.

Paul dice: «Cuando recuerdo la muerte de Julia, todo lo que veo es la palabra TRAGEDIA escrita en inmensas letras negras. De la única forma que podía ayudar a John era recordándole que a mí me había pasado lo mismo. No había nada que yo pudiera decir para animarle como por arte de magia. Esa clase de dolor es tan profundo que no está al alcance de las palabras.

»Aproximadamente un año después tuvo lugar un incidente bastante divertido o, para ser exacto, bastante cruel. John actuaba de nuevo. Es decir, podía fingir un poco mejor que antes. Habíamos salido los dos cuando nos encontramos con alguien que tuvo la feliz ocurrencia de preguntarme cómo iba mi madre.

»''Bueno, murió hace tres años'', le dije. No sabía dónde mirar. ''Lo siento muchísimo, hijo. Dios mío.''

»Entonces se volvió a John y le hizo la misma pregunta y, claro, la contestación fue la misma. Como éramos jóvenes, encontramos muy divertido su azoramiento. El reírnos de él fue una forma estupenda de enmascarar nuestros auténticos sentimientos y creó un vínculo entre nosotros».

Lo que hizo que la muerte de mi madre fuera todavía más terrible es que el conductor que la atropelló era un policía fuera de servicio y se sospecha que conducía borracho. En la investigación fue declarado no culpable de negligencia y el veredicto fue de Muerte Accidental. Mi hermana y yo desconocíamos todos esos detalles, incluso dos meses después de habernos ido a vivir con Harrie, la madre de Leila, a El Cottage.

Harrie era dos años menor que mi madre y la más joven de las cinco hermanas. Su marido, Norman, el padrastro de Leila, era administrador de un garaje. El Cottage era una casita anexa a una granja especializada en producción de leche que anteriormente había pertenecido a la familia del marido de Mimi. Habían vendido la casa principal y la tierra a una fábrica de medias y los suburbios habían absorbido El Cottage. Para nosotras, lo mejor de vivir allí era que estábamos cerca de casa de Mimi y de John.

Jacqui y yo intentábamos estabilizarnos, aunque seguíamos tan en la oscuridad como siempre. Todo cambió una mañana; Norman nos dijo que fuéramos al piso de abajo, nos miró muy serio y dijo: «Sentaos, niñas, por favor». Hizo varios "ejems" y "humms", como si no pudiera soportar decirlo y, de repente, lo soltó: «Niñas, no vais a volver a ver a vuestra madre. Está en el cielo».

La verdad brutal, así presentada, sin ningún adorno, resultó devastadora. Inmediatamente, Jacqui y yo estallamos en gritos y sollozos histéricos e incontrolables. Harrie, que estaba en el piso de arriba haciendo las camas, escuchó toda la conmoción y bajó corriendo al cuarto de estar. Al momento se dio cuenta de que Norman nos lo había dicho. «¿Cómo te has atrevido? —le dijo—. ¿Qué derecho tenías de decírselo? ¿Qué derecho tienes a entrometerte en mi familia?»

«No puedes pretender que esto dure siempre —dijo Norman—. Tenían que saberlo.»

Norman tenía razón. Teníamos que saberlo. ¿Cómo podían seguir fingiendo que todavía teníamos madre si estaba muerta? Pero nos lo debía haber dicho nuestro padre. Él era el que nos tenía que haber dicho desde el principio: «Mamá no va a volver».

Pero papá no podía hacerlo. Estaba completamente destrozado con su muerte. El único objetivo de su existencia había desaparecido. Durante meses, siguió llorando día y noche. De modo que las hermanas se hicieron cargo de todo, como siempre lo habían hecho en las crisis familiares. A veces me pregunto: si a mi padre le hubieran dejado que se enfrentara a la situación, ¿habría sido capaz de hacerlo?

Había otro problema y era la actitud típica de los años 50, antes de que se produjera la Revolución de los 60. Sintiera lo que sintiera mi padre por sus dos hijitas, simplemente no podía trabajar y llevar la casa al tiempo. En la práctica, si hubiera deseado enfrentarse con los convencionalismos, le habría resultado muy difícil. Trabajaba hasta tarde y el horario del hotel era muy raro y no se habría ajustado a nuestra rutina escolar.

Por lo menos hasta que cumplí dieciséis años, recuerdo que mi padre se ponía a llorar ante la simple mención del nombre de Julia. Su muerte le destruyó hasta un punto increíble. De alguna forma, soportaba ir a trabajar pero con frecuencia le veíamos deprimido y encerrado en sí mismo y nunca volvió a ser el papá que habíamos conocido. No pudo soportar quedarse en nuestra casa de Blomfield Road y a las pocas semanas se mudó a una casita que estaba como a media milla de El Cottage, nuestro nuevo hogar, lo que significaba que así nos veía por lo menos un par de veces a la semana. A veces, íbamos a quedarnos con él. Teníamos nuestras alcobas con las camas de nuestra antigua casa y con todos los libros y los juguetes que no nos habíamos llevado a la de Harrie. Una vez me deslicé en la alcoba de mi padre y miré en el armario. Colgados, estaban algunos de los vestidos de mi madre, entre ellos el vaporoso traje de noche color rosa con las estrellas doradas y plateadas y el de punto azul marino y blanco que siempre llevaba para estar por casa.

John no perdió el contacto con mi padre. Él y Paul, a veces, iban a hacerle una visita. Uno de los grandes atractivos era su gramófono, el que John y nuestra madre habían usado para poner discos de Elvis Presley.

«Se lo pedíamos prestado para escuchar los últimos discos de Carl Perkins que habíamos descubierto en la ciudad —dice Paul.

»Recuerdo que Bobby se puso furioso una vez que, accidentalmente, arañamos un disco suyo.

»Bobby era un buen tipo y parecía que siempre le agradaba ver a John. Pero sé que John tenía una especie de rollo con la historia del padrastro. Le caía muy bien, pero no podía considerarle su padre.»

Al principio, la nueva vida en casa de Harrie se nos hizo muy difícil a Jacquie y a mí. Nos costó bastante tiempo perder la sensación de que nuestra madre, como habíamos pensado, estaba todavía en algún lado. Las cosas nos habían parecido normales cuando mi madre vivía, la atención de nuestra familia y todas las expresiones de cariño. Sin embargo, ahora que nos habíamos mudado a El Cottage, yo sabía que todo era diferente y no podía adaptarme a la situación porque no se podía hablar de mamá. Se había convertido en un tema tabú, algo que teníamos que vivir en nuestro interior. Los niños quieren desesperadamente ser como los demás, lo que es un tanto gregario. Nosotras entonces vivíamos con una tía, como John. Y yo odiaba reconocerlo en el colegio, porque significaba admitir la muerte de mi madre. Nos cuidaban muy bien, pero todo había pasado a ser diferente. Había una cosa que odiaba especialmente a causa de esta diferencia, y era la firma de las notas. En la parte de abajo ponía *padre/tutor* y mi tío tachaba *padre* y las firmaba. Siempre me sentía rabiosa y humillada. Yo tenía un padre, ¿por qué no firmaba las notas? Pero jamás me atreví a decir nada en casa. Estoy segura de que nunca se consideró como algo que pudiera hacer surgir un sentimiento tan intenso en una niña de mi edad, pero así era. Me daba cuenta de que éramos distintas de otras personas que conocíamos. Este sentimiento vuelve a mí periódicamente cuando mis hijos me traen las notas y tacho *tutor* creo que con demasiada vehemencia.

Como habíamos hecho muchas visitas a Woolton cuando vivía nuestra madre, conocíamos bastante bien a Harrie. Gradualmente, las heridas empezaron a cicatrizar. Estábamos contentas. Teníamos en Harrie una figura estable de madre aunque, evidentemente, no podía sustituir a la que habíamos perdido.

Una de las grandes ventajas de nuestra recién estrenada vida era que teníamos un nuevo hermano, David, hijo de Harrie y de Norman. Su cumpleaños caía entre el de Jacqui y el mío y era un compañero de juegos ideal ya que actuaba entre nosotras como un puente que unía nuestra diferençia de edad. David ha llegado a ser uno de mis mejores amigos y hemos pasado mucho tiempo juntos, con nuestras familias.

Nuestro padre se iba recuperando poco a poco. No llegó a hacerlo por completo, pero sí lo suficiente como para empezar a pensar más en sus dos hijas.

Cuando nos quedábamos con él, las noches eran muy raras. Luego sugirió que pasáramos en su casa todas las vacaciones escolares. Nuestras habitaciones estaban preparadas y Nana nos cuidaba cuando él salía. Lo hicimos un par de vacaciones. Luego, cuando el curso estaba a punto de empezar, volvíamos con Harrie.

Pero no duró más. Harrie pensaba que nos perturbaba. La casa de papá era libre y natural y se olvidaba la disciplina. Nos consentía todo. Y ella insistió en que, por nuestro propio bien, debíamos tener sólo una casa. Así que no volvimos las siguientes vacaciones. Las mujeres de nuestra familia son las que dicen siempre la última palabra.

John tenía ya diecisiete años y había dejado de ser el hermano que va al colegio y tiene un montón de tiempo libre. Se había graduado en la Escuela Bohemia, se había dado de baja..., en fin. Se había metido en varios problemas con los profesores y recuerdo que fanfarroneaba con sus amigos en casa sobre su atrevimiento de llevar dos pares de pantalones ciertos días y para ciertas ocasiones, en otras palabras, cuando sabía que le iban a zurrar (todos habíamos leído *Just William* y *Billy Bunter*). Dejó el colegio más que desacreditado. Mimi fue a ver al director para hablar del futuro de John y, luego, con John y una carpeta, a la Escuela de Arte de Liverpool. Le aceptaron. Me acuerdo de John diciendo que quería ser un artista comercial (la imagen que se me representó fue la de él de pie sobre una alta escalera de mano con cubos de pintura y ¡pintando anuncios!). No sé qué habría pasado, pero estoy segura de que podía haber tenido éxito como pintor si no hubieran existido Los Beatles.

En la Escuela de Arte, empezó a llevar vida de adulto y le veíamos mucho menos que antes. De vez en cuando se dejaba caer por casa de Harrie para hacer una comida rápida y para organizar una pelea en broma con Jacqui y conmigo, que éramos todavía lo suficientemente jóvenes y bobas como para que nos encantara. A veces sus visitas eran sólo una excusa para llamar por teléfono gratis. Harrie, que vigilaba mucho la factura del teléfono, sentía aversión a usar el aparato para lo que ella consideraba cuestiones no fundamentales. Las llamadas de John debían pertenecer a esta categoría porque siempre tomábamos grandes precauciones para evitar que le viera usarlo. Saltaba por la ventana de la fachada, con el teléfono en la mano, y llevaba el cable arrastrando hasta detrás de los rododendros, donde se enfrascaba en luengas conversaciones. Nunca supimos a quién llamaba. Sospecho que muchas de las llamadas iban dirigidas a «sobre el agua», al Wirral, en la otra orilla del Mersey, porque había empezado a salir con una chica que vivía allí y se llamaba Cynthia Powell. Se habían conocido en la Escuela de Arte y estaban en la misma clase. Cynthia era una chica encantadora, tímida y bastante refinada, que siempre fue muy amable con Jacqui y conmigo. Los amigos de John eran un tanto groseros; Cynthia era demasiado respetable como para ajustarse a la imagen de la querida del rockero.

John tenía sus propias ideas sobre lo que era la mujer perfecta. Al poco tiempo de empezar a salir, le hizo teñirse los cabellos de rubio para que se pareciera más al símbolo sexual de sus fantasías, Brigitte Bardot. Su mujer ideal número dos era Juliette Greco, pero como Cynthia era de pelo castaño, no pudo hacer ningún sacrificio sobre este punto.

Dice Paul: «Por desgracia para Cyn, apareció en el momento en que todos queríamos convertir a nuestras novias en Bardots de rebajas. Teníamos esa edad en que ''la fantasía'' se identifica con una embelesadora diosa del sexo desnudándose.

»Estábamos todos chalados. Así que las chicas tenían que ser rubias, parecerse a Brigitte Bardot y, preferiblemente, hacer muchos pucheros.

»John y yo solíamos mantener conversaciones secretas en las que dábamos a entender, aunque no lo decíamos claramente, que seríamos muy felices si nuestras novias fueran la réplica de Brigitte Bardot pero de Liverpool.

»Mi novia se llamaba Dot y, por supuesto, John tenía a Cynthia. Las hicimos teñirse de rubio a las dos y que llevaran minifalda. Realmente es horrible. Pero así fue».

Jacqui y yo llegamos a conocer muy bien a Cynthia. John y ella iban mucho por El Cottage y parecía que allí se encontraban como en casa. Los sábados por la tarde se sentaban en el canapé cogidos de la mano mientras veíamos la televisión. A veces Harrie entraba y nos decía que saliéramos para que pudieran estar solos. Después esperábamos impacientes la hora del té para tener el privilegio de llevarles la bandeja y ver «en qué estaban».

Parecía que se querían mucho. Eran la representación del romance para mis jóvenes ojos. Pero la vida no es siempre felicidad, como me ha enseñado mi limitada experiencia.

CAPÍTULO 3

ALIMENTARSE DE UN SUEÑO

Empecé a ir a ver a Los Beatles a The Cavern cuando tenía unos once años. Fui vecina de la madre de John durante más de diez años pero siempre me daba miedo decirle algo a él por si no se acordaba de mí. Finalmente, mandé a una amiga a la parte de atrás del escenario para que le pidiera un autógrafo y, por supuesto, estuvo encantador. Actuando eran geniales. El local literalmente vibraba cuando ellos cantaban. Y tampoco eran creídos. La mayor parte de los grupos desaparecía en cuanto terminaba su actuación. Ellos no. Se quedaban allí toda la noche. Se sentaban en el café y charlaban, como todo el mundo.

ANN STARKEY

La primera vez que fuimos a Londres nos encontramos como auténticos provincianos. Pero, realmente, fue una época muy buena: éramos como los reyes de la selva. En realidad fue probablemente la MEJOR época. No nos acosaban demasiado. Me recordaba a un club de fumadores exclusivamente para hombres, o sea, que los únicos miembros éramos los Stones, Eric Burdon y nosotros. Una perspectiva estupenda.

JOHN LENNON

Nos gustaba con locura cuando empezábamos porque lo que siempre habíamos deseado era salir por Liverpool, ser famosos y mimados, tocar la guitarra y no tener que trabajar. Pero una vez que llegamos a la cumbre, nos vimos forzados a reflexionar. ¿Era eso lo que queríamos? ¿Rodar por el mundo encerrados en la parte de atrás de coches blindados, brincar como pulgas amaestradas en campos de béisbol? Después de un tiempo, Los Beatles se convirtieron sencillamente en una excusa para que la gente se portara como si fueran animales.

GEORGE HARRISON

John estaba lejos de ser millonario, pero el poco dinero que ganaba con las actuaciones de Los Quarrymen le proporcionó una cierta independencia. En 1959 decidió mudarse de casa de Mimi y compartir un piso con Stuart Sutcliffe, estudiante de arte de mucho talento que estaba en el mismo curso que John en la escuela.

Comparado con la comodísima casa de Mimi, el piso de Stuart, en el número 3 de Gambier Terrace, era una auténtica guarida de estudiantes. La vista era espléndida —daba a la catedral anglicana de Liverpool—, pero el interior era una selva bohemia compuesta de lienzos sin terminar, camas sin hacer, pinturas y pinceles por todos los rincones y las pilas de platos sin fregar típicas de los solteros. A Mimi, naturalmente, no le hizo ni pizca de gracia que John se marchara e hizo todo lo que pudo para convencerle de que volviera a la vida civilizada de Mendips. Pero a John le encantaba la recién descubierta libertad y tener un piso propio donde poder tocar la guitarra todo lo que quisiera. Sin embargo, iba a ver a Mimi, por lo menos una vez a la semana, para llevarle la ropa sucia y disfrutar de una buena comida casera y ella, finalmente, entendió que no iba a cambiar de opinión.

Le encantaba la poco convencional vida de estudiante

que llevaba con Stuart y, además, Cynthia y él ya tenían un sitio para estar solos.

La amistad entre John y Stuart era muy íntima y se basaba en la mutua admiración. Stuart era un artista de innegable talento y John admiraba su superior habilidad. Por otro lado, John tenía una personalidad poderosa y carismática y exploraba avenidas artísticas hasta entonces desconocidas para Stuart, que era de natural más tranquilo.

Se puede decir que, en muchos aspectos, se complementaban el uno al otro. Stuart le abrió a John el mundo de la pintura, mientras que John introdujo a Stuart en el de la música al enseñarle a tocar el bajo. Los Quarrymen volvieron a cambiarse de nombre. Como George y Paul estaban en el Instituto y John ya había salido de Quarry Bank, el antiguo nombre ya no tenía ningún sentido y se convirtieron en Los Silver Beatles. John fue el que lo inventó. Beatles reflejaba la admiración de John por Buddy Holly y Los Crickets, pero estaba escrito con «A» para aludir a la música Beat*. Silver se añadió como toque de efecto, pero lo suprimieron un par de meses después.

Les faltaba alguien que tocara el bajo y, por sugerencia de John, su nuevo alumno pasó a engrosar el grupo. Pero la habilidad de Stuart con la guitarra dejaba mucho que desear y, en consecuencia, se produjeron algunas fricciones especialmente entre Stuart y Paul McCartney. Paul me lo explicó de la siguiente manera: «Admito que tuve problemas con Stu. Lo siento, naturalmente, porque ahora ha muerto, pero hay veces que estas cosas no se pueden evitar cuando te pones a discutir. Como realmente no sabía tocar muy bien, nos sentíamos muy molestos en el escenario o cuando nos hacían fotos. Le tuvimos que

* *N. de la T.: Cricket:* grillo. *Beetle:* escarabajo.

decir que volviera la espalda al público o a la cámara para que no se viera que no tenía los dedos en el mismo tono que el resto de nosotros. Además, sabía tocar muy pocos acordes. Yo estaba, probablemente, demasiado nervioso, pero me parecía que no era bueno que un grupo deseoso de tener éxito tuviera un punto flaco tan evidente.

»Stuart era un chico encantador y un excelente pintor, pero era con quien solía tener todas las broncas.

»Una vez, incluso llegamos a las manos en el escenario. Supongo que habría ganado yo, porque él era un tipo más bien débil, pero la verdad es que parecía estar invadido de una fuerza extraordinaria, y no resultó un contrincante fácil. Tuve la sensación de haber estado siglos peleando. ''¡Te voy a matar, hijo de puta!'', le gritaba. ''Te vas a enterar si te cojo, McCartney'', me gritaba él a su vez. Creo que al final nos tuvieron que echar agua».

A pesar de todos los sufrimientos, Los Beatles empezaron a tener cada vez más contratos en clubs sociales y de trabajadores y actuaciones en locales como The Cavern y The Casbah, que florecían por todo Liverpool. Pete Best era el nuevo batería del grupo y The Casbah, un club que estaba en un sótano, era la casa de su madre, Mona, y se encontraba en West Derby, un suburbio de Liverpool. Iba allí un montón de gente, lo mismo que a The Cavern, aunque yo era demasiado joven en aquella época. Todavía está abierto y los fans de esos tiempos lo pueden visitar.

Los Beatles se hicieron rápidamente con una gran cantidad de devotos seguidores de la ciudad. En agosto de 1960, Bruno Koschmeider, propietario de un club nocturno en Alemania, le pidió a Allan Williams, propietario de The Cavern, que le proporcionara algunos grupos de Liverpool durante un período de dos o tres años. Williams eligió a Los Beatles y les invitaron a Hamburgo con un contrato prorrogable para que actuaran en la famosa Reeperbahn, la calle principal de la zona de *striptease* de la ciudad.

Hamburgo no fue un anticipo de las cosas buenas que estaban por llegar. El público se componía de borrachos y revoltosos y tenían que tocar muy alto para que les prestaran algo de atención.

John, Paul, George, Stuart y Pete Best, los cinco tuvieron que alojarse en una incómoda habitación que había detrás de la pantalla del cine Bambi, en lugar de ir a un hotel como ellos esperaban. Si la actuación se prolongaba y se acostaban tarde, les despertaban los ruidos de la primera sesión.

Era duro y el dinero andaba escaso. Pero, musicalmente hablando, Hamburgo resultó una experiencia excelente. En Liverpool tocaban una hora como máximo y su repertorio se limitaba a sus mejores canciones. En Hamburgo sus nuevos patrones les exprimieron bien. A veces, las actuaciones llegaban a durar ocho horas, lo que significa que tenían que diversificarse y encontrar nuevas maneras de tocar. Eran noches duras, pero tocar tanto les ayudó a mejorar.

«Nunca hemos actuado en vivo tanto tiempo seguido como en Hamburgo —recuerda George—. En aquella época no éramos famosos y la gente nos venía a ver, simplemente, por nuestra música y el ambiente que creábamos. Como grupo, nos unimos mucho en los cuatro clubs de Hamburgo en los que actuábamos. El primero era el Indra y, cuando cerraba, nos íbamos a otro más grande que se llamaba Kaiserkeller. Después, al Top Ten que posiblemente era el mejor sitio de la Reeperbahn. Tenía eco natural y molaba mucho. El Star Club era más bien basto, pero también lo pasábamos bien allí. Como tocábamos durante tantas horas, nos hicimos con un amplio repertorio de canciones nuestras, aunque seguíamos tocando principalmente viejos rock and rolls.

»En Inglaterra, todos los grupos estaban empezando a llevar corbatas y pañuelos a juego y a dar algunos pasos de baile, como hacían Los Shadows. Nosotros, evidentemente, no teníamos ni idea de nada de eso, así que empezamos a hacer todo lo que se nos ocurría. Y creo que funcionó la mar de bien.»

Los cinco meses de Hamburgo cambiaron tanto a los muchachos como a su música. Ninguno de ellos había visto antes ese lado de la vida tan sórdido y grosero.

Como tenían pocas cosas en común con los bebedores de cerveza alemanes, se juntaron con el tropel de artistas de Hamburgo. Uno de ellos era la hermosa Astrid Kirchherr, ayudante de fotógrafo. Stuart se enamoró locamente de ella.

Astrid y dos amigos suyos, el artista comercial Klaus Voorman y el fotógrafo Jürgen Vollmer, vieron que Los Beatles eran algo más que un simple decorado de cabaret de los clubs de mala fama donde trabajaban. Reconocieron que tenían fuerza para cantar ante públicos mucho más amplios y populares. Empezaron a hacerles fotos tanto en grupo como individualmente, en diferentes puntos cercanos a la Reeperbahn.

Los muchachos grabaron una maqueta, que no les condujo a nada, en el Akustik Studio. Era trabajo de aficionados, casi como el que habían grabado Los Quarrymen en un estudio situado en el sótano de un amigo en Liverpool.

Durante su segundo viaje a Hamburgo, en el mes de abril del año siguiente, les invitaron a hacer el acompañamiento de fondo para un disco de Tony Sheridan, el cantante británico, en el Club Ten Top. Lo producía Bert Kaempfert, director de orquesta alemán, para Polydor.

Grabaron seis números acompañando a Tony y otros dos ellos solos: *My Bonnie* y *Cry For a Shadow*. Significó mucho para ellos. Ya nadie les podía decir que eran una banda de rock piojosa que se hacía pasar por profesional. Habían grabado un disco de verdad, no una maqueta que terminaba en la basura. Y fue el aluvión de peticiones de *My Bonnie* lo que hizo que Brain Epstein, un rico vendedor de discos de Liverpool, fuera a escucharles tocar en The Cavern. Y, posteriormente, por supuesto, pasó a ser su manager.

Stuart no tomó parte en la sesión de grabación. Había decidido dejar a Los Beatles, quedarse definitivamente en Hamburgo, matricularse en la Escuela de Arte y casarse con Astrid. Los Beatles volvieron a Liverpool y dejaron a Stuart con su nueva vida. John y él se escribían largas cartas. Repentinamente, Stuart murió en Hamburgo a consecuencia de una hemorragia cerebral; tenía veinte años. Esto afectó mucho a John. Nunca había tenido un amigo tan íntimo como Stuart. Le debió resultar muy difícil sobreponerse a su muerte, tan próxima a la de nuestra madre.

Después de esto, todos en Liverpool veíamos que su relación con Cynthia cada vez era más íntima. Ya en Alemania, los otros Beatles se habían dado cuenta de que estaba muy entregado. Cynthia era la encargada de ahorrar para su futuro, y todas las semanas, sin falta, había estado yendo a correos a enviarle dinero. Además de las largas horas que ya trabajaban Los Beatles en su escaso tiempo libre, John tocaba a menudo por su cuenta, sin el grupo, y acompañaba con la guitarra a las chicas que hacían *striptease* en el local. Todos los extras, después de descontar el dinero que se gastaba en cerveza y en vivir, los guardaba y se los enviaba a Cynthia. Exteriormente, John seguía siendo el mismo joven agresivo que tanta gente conocía. Pero Pete Best recuerda el lado tierno que tenía John, especialmente cuando hablaba de sus sentimientos hacia Cynthia.

Dice Pete: «Hubo momentos en Hamburgo en los que John y yo realmente hablamos. En ocasiones, salíamos para tomarnos tranquilamente un par de cervezas y charlábamos sobre nuestros planes para el futuro.

»Me explicaba que Cynthia y él iban a volver a la normalidad y que fundarían una familia en cuanto Los Beatles empezaran a dar algo de dinero. Me contaba lo que la echaba de menos. Es evidente que John tenía dos facetas. Podía ser el tipo escandaloso del escenario, que continuamente perdía los estribos, se burlaba de todo el mundo y, por lo general, sacaba de quicio. Y podía ser, cosa que el público no veía, cariñoso y tierno, en especial cuando hablaba de Cyn».

Jacqui y yo empezamos a sentir los efectos del creciente éxito de Los Beatles. Eran lo suficientemente famosos, al menos a nivel local, como para que nuestros compañeros del colegio tuvieran envidia de que fuéramos familia de John. Constantemente nos pedían fotos, autógrafos, discos y estrafalarios recuerdos como, por ejemplo, un par de calcetines viejos de John o un mechón de pelo de George. Otra petición bastante frecuente era una visita a la habitación de John en Mendips. Los más afortunados tenían un cuaderno de ejercicios firmado. Nosotras no entendíamos tantas alharacas, aunque era divertido que nos consideraran contactos importantes de esos muchachos tan buscados. En nuestra opinión, John era solamente un hermano mayor que hacía las cosas que hacen los hermanos mayores pero que, un día, tendría un trabajo normal. Los adultos de la familia no estaban muy convencidos de que le esperara el estrellato. Decidieron que Los Beatles eran una moda pasajera. Con toda seguridad, la cosa no podía ser distinta de lo que parecía, es decir, una historia de jóvenes divirtiéndose tontamente en esos clubs que se acababan de poner de moda y tocando la guitarra para sacar algo de dinero para sus gastos personales. Mientras no se metieran en problemas, el tema era inofensivo, pero no se consideraba para nada una carrera.

Se negaron a tomárselo en serio, especialmente Mimi. Para entonces ya estaba completamente harta de las chicas —John las llamaba Beatlettes— que rondaban por Mendips persiguéndole. Una de esas Beatlettes era una chica de mi clase que se llamaba Linda. Hizo un esfuerzo increíble. Se las arregló para colarse en Mendips hablando muy dulcemente y desplegando una gran habilidad hasta que, finalmente, Mimi la invitó a desayunar. Le pareció un éxito inesperado, y en realidad lo fue, vencer la resistencia natural de Mimi en los primeros pasos de los Beatlemanía.

«He desayunado con John», me dijo Linda y se notaba por su voz que se sentía muy orgullosa.

Los profesores empezaron a preguntarnos: «¿Es ése tu hermano?» Y, poco a poco, nos fuimos dando cuenta de que Los Beatles se estaban haciendo realmente famosos. Finalmente, la familia tuvo que dar marcha atrás y aceptar que a lo mejor se habían equivocado, incluso Mimi, y que, después de todo, John y Los Beatles iban a ser algo.

Ya tenía quince años y era lo suficientemente mayor como para ir a Liverpool con cuatro o cinco amigos del colegio y ver a John actuar en The Cavern, en la calle Mathew. El estruendo era increíble. La mayor parte de la gente no se daba cuenta de lo pequeño que era el local. Estaba en el sótano de un antiguo almacén, cerca de los muelles, y las paredes estaban empapadas de una humedad que goteaba formando negros arroyuelos. Apenas había luz y tenías que buscar a tientas el denominado bar, en el que la bebida más fuerte que servían era Coca-Cola.

Todo el mundo iba de negro, al estilo de Cathy McGowan. Cathy McGowan era la «sensacional» presentadora de *Ready Steady Go*, el programa que ponían desde hacía siglos los viernes por la noche. Fue uno de los precursores de los programas de música pop que se emiten por televisión actualmente. Cathy fue, durante cierto tiempo, una persona a la que se rendía culto y llevaba su largo pelo negro con un flequillo que le llegaba hasta los ojos. Hubo muchas que imitaron su estilo. Yo misma, en varias ocasiones, me llegué a planchar el pelo porque lo tenía demasiado tieso como para que quedara bien. Todos llevábamos negro sobre negro —hasta el maquillaje de los ojos— y estoy segura que parecíamos miembros de la familia Munster. Los polos negros y los vaqueros teñidos de negro (no los hacían negros por aquella época) estaban a la orden del día. Cuanto más te parecieras a un cadáver, tanto mejor. Era difícil salir de casa con esas pintas. Nos teníamos que dar los últimos toques a la vuelta de la esquina, donde no nos viera nadie. Había que tener dieciocho años y un par de veces me dijeron que no podía entrar, que tenía que enseñar la partida de nacimiento. Pero la mayor parte de las veces, si te ponías bien el maquillaje, el portero se quedaba tan confuso por tu aspecto que te dejaba entrar.

«Al principio, Los Beatles tocaban en The Cavern sólo a la hora de comer —dice Bob Wooler, uno de los primeros presentadores de The Cavern—. Ray McFall, el dueño, se mostraba poco dispuesto a darles una oportunidad y tuve que convencerle. Probablemente, la única razón que le movió a dar su consentimiento fue que eran uno de los pocos grupos que estaban disponibles para trabajar durante el día porque casi ninguno tenía trabajo.»

Paddy Delany, el enorme portero de The Cavern, era la persona idónea para no dejar entrar a los indeseables. Recuerda que Los Beatles tenían «un cierto magnetismo animal y su música vibraba de una forma muy pura».

Paddy veía y oía todo lo que pasaba y había seguido la evolución de Los Beatles desde el principio. La sustitución de Pete Best por Ringo Starr en la batería no le produjo ninguna sorpresa. «Era inevitable —dice Paddy—. Pete no se adaptaba al estilo que Brian Epstein quería. Tampoco creía en un montón de cosas que interesaban a los muchachos por aquella época. En resumen, que se lo quitaron de encima, lo cual es una vergüenza porque era un chico muy guapo. Las chicas que venían a The Cavern decían que les recordaba a Jeff Chandler.»

Parece vergonzoso que Pete Best se marchara justo en los umbrales de la fama, ya que era amigo de John y sé que siempre se llevaron bien. Por otro lado, ¿qué habría sido de Los Beatles sin Ringo?

Mike McGear, antes Michael McCartney, el hermano de Paul, considera todo el asunto con mucha filosofía. «El destino podía haber elegido a cualquiera para que se marchara —dice—. Ninguno de ellos tenía tanta fuerza por sí solo. Pero cuando se juntaban, entonces aparecía la magia.

»Los otros tres eran muy inteligentes, pero recuerdo que Pete era terriblemente guapo. Las chicas gritaban cuando él aparecía y eso representaba una gran ventaja. Pero no le habrían echado por eso. No, al final todo se redujo a su habilidad para tocar la batería. Había muy pocos baterías buenos en Liverpool y cuando regresaba a casa, le hablaba a Paul de Ringo, al que había visto tocar a menudo con Rory Storm y Los Hurricanes. Es cierto que no tenía la facha de Pete, pero era un batería asombroso. Tocaba como loco. Y no se limitaba a dar golpes, inventaba nuevos sonidos.»

En el verano de 1962, justo cuando Ringo se unió al grupo, Los Beatles empezaron su meteórica ascensión a la fama. En agosto, John recibió noticias inesperadas cuando llegó a su piso de la calle Garmoyle, cerca de Penny Lane, para ver a Cynthia. Le dijo que acababa de confirmar que estaba embarazada.

«No te preocupes, Cyn —dijo John—. Nos casaremos.»

Mimi puso el grito en el cielo cuando se enteró. Probablemente fue la bronca más espantosa entre los dos. «Sois dos niños estúpidos —le dijo—. ¡Mira que poneros en esa situación! Nadie de la familia querrá tener nada que ver contigo. Bueno, es responsabilidad vuestra. Os habéis metido solitos en ese lío, así que ahora tenéis que arreglarlo.» Fue una reacción emocional muy comprensible. La pobre Mimi se debía preguntar si alguna vez llegaría el momento en que se viera libre de problemas familiares. Poco a poco se fue calmando y, a regañadientes, aceptó la situación. No le hacía nada feliz que tuvieran que casarse de penalty pero, como siempre, su tremendo sentido de la responsabilidad venció a su desaprobación. Incluso le dio dinero a John para que comprara la alianza, una sencilla banda de oro que costó diez libras en Whitechapel, una de las principales calles comerciales del centro.

La noche anterior a la boda, ese mismo mes, John empezó a pensarlo bien. «Dios mío, Mimi, en realidad no me quiero casar —se lamentaba paseando arriba y abajo por el ordenado cuarto de estar de Mendips—. Si es que soy muy joven.»

«Quizá sí —replicó Mimi con frialdad—. Pero, a lo hecho, pecho.»

A la mañana siguiente, 23 de agosto, John era el típico novio nervioso, tan nervioso como cualquier otro chico de veintiún años que estuviera a punto de dar el paso decisivo. Mimi prefirió no asistir a la ceremonia. Sólo había un grupito de invitados entre los que se encontraban Paul, George, Brian Epstein, Tony, el hermano de Cynthia, y su mujer. Como era costumbre, no se invitó a los niños de la familia. Después de todo, Cynthia no se había portado bien.

«Aquello se parecía más a un funeral que a una boda —dice Cynthia en su autobiografía *A Twist of Lennon*—. John, George y Paul estaban muy juntitos en un rincón de la anodina sala de espera. Todos llevaban traje negro, camisa blanca y corbata negra. Estaban pálidos y se podía percibir la tensión en sus expresiones. Movían las manos hechos un manojo de nervios y, alternativamente, se ajustaban la corbata y se aflojaban el cuello de la camisa. O se tocaban el pelo, bien peinado para la ocasión. Y lo hacían todo al unísono. La familia de John siguió firme en su decisión de boicotear el acontecimiento, triste prueba de su falta de comprensión.

»Estábamos dispuestos a empezar. John y yo mirábamos fijamente por la ventana; en el patio del edificio de al lado había un obrero que agarraba con firmeza una fresadora. Como si se hubieran puesto de acuerdo, en cuanto empezó la ceremonia, la puso en marcha. No oímos ni palabra, ni siquiera podíamos escuchar nuestros propios pensamientos. Era imposible permanecer serios y pensar en la importancia del paso que estábamos dando. Todo lo que queríamos era marcharnos y que todo acabara lo antes posible. Fue completamente irreal.»

En octubre de 1962, Brian Epstein firmó con Los Beatles un contrato de cinco años y empezó a elaborar la imagen Beatle. El productor George Martin, de la Parlophone, una de las compañías pequeñas que pertenecían a EMI, ya les había hecho una grabación de prueba. John llevaba casado sólo quince días cuando George los invitó para que fueran a Londres, a los estudios de EMI de Abbey Road, en St John's Wood, para que grabaran su primer disco británico. Era el mes de septiembre de 1962. El tema principal era *Love Me Do* y la cara B, *PS I Love You*. Aproximadamente una semana después, recuerdo que subí las escaleras hacia el cuarto de mi primo David, en El Cottage, donde Jacqui y yo vivíamos con Harrie, llevando en la mano la maqueta de *Love Me Do*. Era emocionante escucharles en un disco de verdad. A mis ojos, ya eran tan importantes como Elvis Presley... aunque mis oídos me decían que no sonaban como un grupo profesional.

Oficialmente, *Love Me Do* salió en octubre de 1962. Toda la familia, Mimi incluida, estaba conmovida hasta un punto indescriptible. «Siempre he dicho que el chico llegaría donde quisiera», repetía Mimi, enormemente orgullosa y olvidando sus profecías sobre el futuro de John como músico profesional.

Era fantástico tener un hermano famoso, pero había algo que me molestaba. Me preocupaba que mis amigos supieran detalles de nuestra complicada familia y que hubiera que dar explicaciones. Para un adulto, simplemente habría supuesto explicar que John era el fruto del primer matrimonio de mi madre y que vivía en otra casa. Para un ser de quince años, tímido y aterrorizado de que pensaran que era «diferente», representaba un problema tremendo.

El conflicto que esperaba no se produjo nunca. Pero todo el mundo en la escuela seguía hablando de Los Beatles sin parar. Incluso se dedicó una parte del tablón de anuncios oficial a informarnos sobre sus movimientos, ya que en ese momento estaban de gira por el norte. Pero lo que más seguía emocionando a sus fans de Liverpool eran las actuaciones en The Cavern.

Otro gran acontecimiento fue escuchar a Los Beatles por vez primera en Radio Luxemburgo; era el 12 de octubre. Se oía tan mal y había tantas interferencias que tuvimos que amontonarnos alrededor de la radio y aguzar los oídos para captar algo de la música que, junto con las interferencias, salía por el altavoz. Pero no nos quitó la emoción. Mi hermano mayor estaba en la radio y le estaban escuchando miles de personas. No pude evitar pensar que a nuestra madre le habría encantado estar allí con nosotros.

En enero del año siguiente salió *Please, Please Me* y recuerdo que todos abucheamos a Jimmy Saville cuando lo presentó en su programa. «Bueno, aquí tenemos —dijo Jimmy— el nuevo gran disco de Los Beatles de Liverpool. Espero que le guste a alguien, porque lo cierto es que a mí, no.» Me pregunto cuántas veces habrá lamentado ese comentario.

El 8 de abril de 1963, siete meses después de la boda, vino al mundo Charles Julian Lennon a las 7.45 de la mañana, en el Hospital General Sefton de Liverpool. Le pusieron Julian por mi madre. Fue un parto muy difícil y dejó a Cynthia exhausta, sin John allí para darle ánimos. Estaba de gira por el sur de Inglaterra, pero había llamado por teléfono a Mendips todas las noches para preguntar cómo se encontraba Cynthia. Estaba emocionadísimo cuando Mimi le comunicó que tenía un hijo.

«¿Cuándo le podré ver, Mimi?», gritó entusiasmado por el teléfono.

«No te preocupes —le replicó Mimi—. Los dos estarán aquí cuando llegues. Así que vuelve a casa cuanto antes.»

Después del parto, Cynthia pidió que la trasladaran a una habitación particular. Los Cuatro Fabulosos contaban ya con tal legión de fans que el hijo recién nacido de un Beatle, en una sala pública, podía haber sido la causa de que se organizara un alboroto. En la habitación particular, la cosa no fue mucho mejor. La única que había libre tenía dos ventanas inmensas que no eran muy útiles para proteger la intimidad de Cynthia. Brian Epstein decidió que un Beatle casado, lo mismo que cualquier estrella pop casada, no era bueno para los negocios que dependían en tal alto grado de las admiradoras. Insistió en que, dentro de lo posible, se mantuviera en secreto la llegada del pequeño Julian. Y era bastante difícil porque, aparentemente, todo el mundo lo sabía. John conoció a su hijo cuando éste contaba un día de edad. Se inclinó sobre él emocionado y abrazó y besó al tiempo a Cynthia y al bebé, incapaz de contener su júbilo. «¿Quién va a ser un pequeño rocker famoso como su papá?», le arrullaba. «Es maravilloso, Cynthia.»

Cuando Julian tenía apenas tres semanas, Los Beatles se tomaron sus primeras vacaciones después de meses de trabajar sin parar. Paul, George y Ringo se fueron a Tenerife, en las Islas Canarias, para reunirse con unos amigos alemanes. John le dijo a Cynthia que él se iba a España con Brian Epstein para descansar diez días antes de que Los Beatles reanudaran su agotador programa de giras.

A Cynthia no le encantó precisamente quedarse, pero Julian era demasiado pequeño para viajar y se daba cuenta de que John necesitaba un descanso después de haber estado trabajando tanto. Solamente en el mes de abril —que fue típico de su programa de trabajo de ese año—, Los Beatles tuvieron un total de treinta contratos, entre conciertos, televisión y radio.

Las vacaciones en España fueron la causa de una pelea tremenda que se organizó dos meses después, en junio, el día de la fiesta de celebración del veintiún cumpleaños de Paul. Habían bebido mucho y el ambiente estaba bastante cargado. Bob Wooler, el disc- jockey, viejo amigo de Los Beatles, insinuó que John tenía un asunto amoroso con Brian Epstein, homosexual reconocido. John fue por él. Y Bob terminó en el hospital con tres costillas rotas y una indemnización pactada previamente de 200 libras por daños y perjuicios. Por lo que sé de John, no tenía nada de homosexual, más bien al contrario.

Llevaba una vida muy dura. Brian les empujaba hacia la cúspide y no paraban de trabajar. Al principio, Cynthia no acompañaba a John en los viajes. Prefería que se quedara en casa con Julian para que el niño pudiera llevar una vida de familia lo más normal posible. Además, Brian no estaba precisamente deseoso de que se les uniera. Se mostraba firme en su idea de que un Beatle casado era perjudicial. Así que a instancias de ambos, Cynthia aceptó quedarse en la sombra. Después del nacimiento de Julian había dejado el pisito que tenían y se había mudado a Mendips. Para ella, era una vida muy solitaria.

El nombre de Los Beatles era conocidísimo en Liverpool. Parecía que las fans siempre estaban dispuestas a saltar sobre ella, incluso aunque estuviera paseando a Julian en su cochecito. Y ella siempre negaba tener cualquier tipo de relación con John, ya que Brian había sugerido que le favorecería. Difícil papel el que le tocó: una esposa que se supone que no existe.

Julian no era un niño tranquilo. Siempre estaba llorando y se negaba a ajustarse a cualquier tipo de rutina. «Me dejaron desesperadamente sola al cuidado de un niño que parecía que no paraba de llorar —dice Cynthia—.

Y terminé con los nervios destrozados, todo el día intentando calmarle y sabiendo que Mimi no tenía un minuto de paz. Cuando ya había hecho todo lo posible para calmarle, sin ningún resultado, le abrigaba bien y le llevaba en el cochecito hasta el final del jardín y le dejaba berrear. Rezaba para que se agotara y así poder dormir. Al final estaba tan cansada que veía doble. John fue muy inteligente al perderse los gozos de la paternidad en esas primeras fases.

»Todo era encantador, porque cuando volvía a casa, salía de la habitación siempre que tenía que cambiarle el pañal. Decía que si se quedaba, se pondría enfermo. Y estoy segura que se habría marchado si hubiera tenido que aguantar los lloros noche tras noche.»

John empezó a darse cuenta de que eso no era vida para Cynthia. Cuando Julian fue un poco mayor, Cynthia empezó a acompañarle a las giras de vez en cuando. Yo, personalmente, puedo dar testimonio de la capacidad pulmonar del niño.

Cynthia a veces dejaba a Julian con Harrie cuando se marchaba con John. Harrie era la menor de las hermanas Stanley, la tía loca como una chicuela y que demostró ser la niñera oficial de la familia. Si volvíamos a casa del colegio y nos encontrábamos el cochecito de Julian en el recibidor y muchos pañales puestos a secar al lado del fuego, era que Cynthia se había ido de viaje con John.

La Beatlemanía había inundado Gran Bretaña y se disponía a inundar el mundo. Cada vez veíamos menos a John, aunque siempre sabíamos dónde estaba y qué hacía. Cuando John decidió que Cynthia y Julian se mudaran a una casa nueva en el Sur, en julio de 1964, desaparecieron para siempre de nuestra vida cotidiana.

Casi todos los días, como todo el mundo, leíamos en

el periódico algo sobre él. Seguía llamando a Mimi con regularidad y a veces charlaban durante horas, lo mismo que haríamos después él y yo hacia el final de su vida.

Evidentemente, echábamos de menos que no estuviera por allí y la locura que significaba tener un hermano como John. Pero había algo bueno y era ver su nombre y su foto en todos los periódicos. En cierta forma, nos proporcionaba a Jacqui y a mí un cierto optimismo sobre nuestras vidas. Habíamos visto que se había esforzado muchísimo y que, al final, había obtenido su recompensa. Era una buena lección de decisión. Si deseabas algo con mucha fuerza, terminaría siendo tuyo, siempre y cuando estuvieras dispuesto a luchar por ello. Los Quarrymen y luego Los Beatles habían resistido, a pesar de todos los contratiempos, porque tenían confianza en su triunfo... y habían triunfado. Era fantástico darse cuenta de que nuestro hermano había llegado, usando sus propias palabras, a lo más alto de lo más alto del pop.

Nos enorgullecía que escribiera y tocara música pop mejor que nadie hasta la fecha.

Entonces, cuando la Beatlemanía ya había inundado el mundo, venían fans de todas partes, rondaban la casa de Mimi y llamaban a la puerta a todas horas del día y de la noche. Acampaban en el césped, a la salida de la verja. Ponían tiendas, tocaban la guitarra y cantaban canciones de Los Beatles. Cada vez que Mimi salía, se tenía que abrir paso entre tiendas y sacos de dormir. Mendips se había convertido en un santuario de la Beatlemanía y Mimi estaba cada vez más harta.

Un día, John sugirió que lo mejor sería que Mimi alquilara Mendips y se buscara otro lugar alejado de toda esa locura y en el que pudiera tener más intimidad. La intimidad, como Los Beatles estaban empezando a descubrir, era una de las cosas más deseables de la vida.

Mimi no quería mudarse. Amaba su casa. Llevaba treinta años viviendo en ella y ahora la obligaban a marcharse.

Cuando John y Cynthia se fueron de Liverpool, Mimi comenzó a viajar muy a menudo a Londres para verles. Una de las mañanas que estaba allí, en agosto de 1965, John anunció de repente que el chófer les iba a llevar a ver casas. Mimi protestó y dijo que no quería que despilfarrara el dinero y que ella se encontraba muy bien en Mendips a pesar de las fans.

«Pero, Mimi, *en caso de que quieras mudarte*, ¿dónde te gustaría ir?», le preguntó John.

Empezó a devanarse los sesos para encontrar algo que responderle y, finalmente, dijo lo primero que se le ocurrió: «A Bournemouth». Se pusieron en camino inmediatamente y en Poole, cerca de Bournemouth, John descubrió un bungalow de lujo de dos plantas con una escalinata que, partiendo del jardín, conducía al mar. Mimi y John entraron y conocieron a los dueños. La compra quedó zanjada. Y Mendips se puso en venta. Los que compraron la casa de Mimi realmente no sabían lo que estaban haciendo. Las fans seguían poniéndole sitio. Llegaban autocares de viajes organizados sobre Los Beatles, y los guías, provistos de megáfonos, relataban la historia de la infancia de John. Parece que ahora, por fin, se ha restablecido la paz. En el exterior de Mendips se ha puesto una placa que dice: «Aviso oficial. Privado. Prohibida la entrada. Por orden del Consejo del Condado de Merseyside».

Mimi se trasladó a su nueva casa. Estaba bastante retirada, lo que la protegía de miradas extrañas. Sólo a veces, durante el verano, escuchaba un megáfono que sonaba en uno de los barcos que cruzaban la Bahía de Poole. «Aquella casita blanca es donde vive la tía Mimi de John Lennon.» Si daba la casualidad de que Mimi estaba en el jardín, todos los del barco se ponían a saludarla con la mano como locos. No le molestaba mucho porque, por otro lado, llevaba una vida muy tranquila y el público se tenía que limitar a quedarse en el barco.

Le resultaba muy doloroso marcharse de Liverpool y dejar lejos a toda la familia. Finalmente, John habló con ella del tema y la convenció de que sería un sitio fantástico para que la familia pasara las vacaciones, si quería compañía, ya que había muchísimo sitio.

«John fue siempre excesivamente generoso —repetía Mimi con frecuencia cuando contaba la historia de su traslado a Bournemouth—. Incluso de pequeño. Si tenía una chocolatina y estaba con dos amigos, en seguida la partía en tres trozos iguales.»

Sé que es completamente cierto. La generosidad de John es legendaria. No sabía decir que no. Siempre estaba pensando en cómo podría ayudar una vez tuviera el dinero para hacerlo. Algún tiempo después, en 1968, le dijo a Harrie que buscara una casa más grande porque El Cottage, para cinco personas, se había quedado muy pequeño.

Después de ver varias, Harrie encontró la casa de sus sueños en una finca privada situada en la hermosa zona de Woolton, donde Ringo había comprado una casa para sus padres. John la compró sin titubear. Le dijo a Harrie que podía amueblarla y equiparla a su gusto. Y que le mandara todas las facturas.

La casa contaba con todas las comodidades modernas imaginables, a diferencia del encantador pero desvencijado Cottage. La cocina era ultramoderna y todos los suelos, de madera. Era la forma de John de hacernos saber que, aunque estaba lejos, seguía preocupándose por nosotros.

El estreno de *¡Qué noche la de aquel día!*, en julio de 1964, me hizo darme cuenta realmente del fenómeno de la Beatlemanía y del increíble éxito de John. Fuimos todos: hermanas, primos, tías y tíos y ninguno habíamos visto jamás nada semejante.

Primero, John nos equipó. Jacqui y yo elegimos piel de cerdo y nos lo confeccionó, de acuerdo con nuestro propio diseño, un antiguo compañero de John de la Escuela de Arte que había puesto una tienda de artículos de piel. Yo me decidí por un maxiabrigo negro de piel de cerdo con forro de seda roja. Es la prenda de vestir más encantadora que he tenido en toda mi vida. Solamente la piel costó 80 libras, una fortuna para la época, más de diez veces los precios de hoy en día. Mucho tiempo después, Jacqui lo cortó y se hizo una chaqueta.

Envió, asimismo, a cada una de las casas una limusina negra y lustrosa para que nos condujera a la recepción que tenía lugar en el Ayuntamiento. Las calles estaban abarrotadas por la multitud que gritaba de entusiasmo y saludaba con la mano jalonando todo el camino como si fuera la boda de un miembro de la familia real.

En el Ayuntamiento, el alcalde nos estaba esperando con sus insignias reales rojas y su cadena de oro para presentar Liverpool a sus héroes. En el interior se escuchaba solamente el continuo rugido de la muchedumbre. Y entonces, los funcionarios del Ayuntamiento, con sus vistosas libreas, abrieron los balcones que dan a Castle Street. He visto fotos de la reina, después de la coronación, en el balcón del palacio de Buckingham; supe lo que debió sentir. El ruido de los gritos y chillidos era tal que no nos podíamos oír. Había 200.000 personas, según informó a la mañana siguiente el *Liverpool Echo*. Había gente en todos los lugares imaginables, en los árboles, colgados de las farolas y subidos en tapias. Los Beatles estaban en el balcón principal y saludaban con la mano mientras sus fans se rompían los pulmones. Recuerdo que miré hacia el mar de caras por encima del hombro de John y pensé que parecía un mar de azúcar en polvo, lo mismo que en el colegio cuando miras a la clase desde la pizarra. Esperaba que no hubiera nadie del colegio. ¡En vano! Fue una experiencia increíble estar allí, en el balcón, saludando con la mano como si tuviera sangre real y con la certeza de que John era el centro de interés. Se trataba de un hombre conocido a lo largo y ancho del mundo, los reyes y las reinas y todos los personajes famosos que se me ocurrían sabían su nombre y también todos los que leían el periódico, escuchaban la radio o veían la televisión. Me parecía casi imposible que fuera mi hermano. Los Beatles habían ocupado los titulares de los periódicos tantas veces que ya hacía tiempo que habíamos dejado de guardar recortes de prensa.

El siguiente festejo del programa de ese día asombroso fue la magnífica fiesta que ofrecieron los padres de la ciudad a sus cuatro famosos hijos. Tuvo lugar en el gran salón de recepciones del Ayuntamiento, bajo deslumbrantes candelabros y un techo guarnecido de pan de oro. Hubo champán, salmón ahumado, caviar, pechugas de pollo y aperitivos en indescriptible cantidad y de gran calidad. No podíamos dejar de mirar todas esas cosas. Harrie no nos perdía de vista y, cuando nos fuimos directas hacia las provisiones, nos dijo: «No os comáis todo eso. Un poco de decoro, por favor. Estáis aquí para celebrar el éxito de vuestro hermano y no para atracaros».

Después nos pusimos en camino hacia el Odeon, que es donde se estrenó la película. Estaban presentes las estrellas más famosas del momento, como Tommy Steele, Lionel Blair y Alma Cogan. Y, como si no hubiéramos cenado, nos obsequiaron con una gran caja de bombones para que nos los comiéramos mientras veíamos la película. Antes de que empezara, Los Beatles se subieron al escenario y el público lanzó un rugido tumultuoso. Seguíamos sin creer lo que estaba pasando. «¿Dónde está mi familia? —gritó John—. No os veo a ninguno.» Y le hicimos señales con las manos y nos pusimos a gritar con todas nuestras fuerzas. El público empezó a reírse.

De lo que no nos dábamos cuenta en ese momento era de que la vida de Los Beatles consistía siempre en eso. Fueran donde fueran, hicieran lo que hicieran, incluso aunque simplemente se pasearan por la calle, las fans estaban a su lado gritando y chillando histéricamente. Fuera de los locales cerrados, no tenían paz en ningún momento del día ni de la noche. Siempre estaban acosados.

Y era mucho peor cuando salían de viaje y se tenían que encerrar en sus habitaciones mientras las hordas de fans bramaban en el exterior del hotel. Finalmente, John decidió que sería más seguro que Cynthia y Julian vivieran fuera de Londres, en alguna parte alejada de los opulentos suburbios y de la histeria constante. Su primera casa grande fue Kenwood, una mansión que imitaba el estilo Tudor. La compró en julio de 1964 y se encontraba en una zona muy exclusiva, en St George's Hill state, Weybridge, donde vivían muchos corredores de Bolsa de Surrey.

Cuando John la compró, ya estaba lujosamente equipada. Pero insistió en renovarla por completo. En tirar tabiques, modificar habitaciones y volverla a decorar, se gastó casi el doble de lo que le había costado.

«Los nueve primeros meses que pasamos en la casa tuvimos que alojarnos en el piso de arriba, el de la servidumbre —recuerda Cynthia—. Apareció un ejército de obreros y procedieron a tirarlo todo abajo. Los hermosos diseños que nos presentaban nos parecían muy alejados de la realidad, sobre todo cuando vagábamos por las habitaciones llenas de escombros, con los suelos levantados y con lo que parecían ser cientos de latas de conservas y tazas de estaño de los obreros. En realidad, las tazas éramos *nosotros*. No recuerdo haber inspeccionado la casa cuando los hombres estuvieran trabajando. Parecía que siempre estaban sentados, chismorreando y bebiendo tazas de té sin fin. Me sentía como una extraña en mi propia casa. Y tenía que recordarme constantemente que los que pagábamos éramos nosotros.» Cuando ya se veía el final de la obra, John nos invitó a Jacqui y a mí a que pasáramos allí unos días. Nos encantó la idea de volver a estar con John después de tanto tiempo. Y nos aguardaba una sorpresa: unos billetes de avión. ¡Nosotras no habíamos viajado nunca en avión!

El gran final de este primer vuelo fue nuestra recepción en el aeropuerto de Heathrow. Nos esperaba un chófer de uniforme con el nuevo Phantom V Rolls Royce de John para llevarnos a Kenwood. Eso de tratar a dos colegialas de Liverpool como si fueran VIPS fue estupendo, y Kenwood también. El trayecto era largo y estábamos muy impresionadas con todo lo que veíamos. La casa, imitación estilo Tudor, tenía el tamaño de una mansión; estaba situada sobre una colina y la rodeaba un jardín convertido en parque con árboles, arbustos y praderas muy bien cuidadas. Parecía una foto del *Homes and Gardens*. Ni a Jacqui ni a mí se nos había ocurrido nunca que John pudiera ser rico. Así que nos dimos cuenta de lo que significaba exactamente ser un Beatle.

Del vestíbulo principal salía una elegante escalera de roble; también daban a él las salas de recibir, todas ellas hermosamente amuebladas. El gabinete de John, que daba al cuarto de estar, estaba totalmente decorado en rojo y repleto de libros. John siempre había sido un gran lector, hábito que fomentó Mimi desde su infancia, y Cynthia nos dijo que a menudo se pasaba allí las horas muertas con la nariz metida en un libro. Faltaba una habitación importante: la cocina ultramoderna de Cynthia. Por alguna razón, los constructores todavía no habían llegado. La única indicación de lo que habría allí en su momento era un suelo levantado que se podía ver por un gran agujero practicado en la pared. Mientras tanto, las comidas se hacían en el piso de arriba, donde vivían el ama de llaves y su marido, el chófer, y se bajaban al comedor.

Como todavía estaba la obra sin terminar, había polvo por todos lados pero, sin embargo, John se empeñaba en hacer las cosas de acuerdo con la etiqueta. Insistía en que debíamos comer formalmente en el comedor, cuyas paredes estaban recubiertas de madera de roble, bajo un deslumbrante candelabro y en la mesa de caoba. No importaba que para desayunar sólo hubiera un huevo pasado por agua, lo teníamos que hacer todo bien. Para el ama de llaves resultaba muy molesto tener que bajar las comidas dos pisos y mantenerlas calientes. En esas circunstancias, muchas otras familias habrían optado por hacer comidas informales. Pero John, no. Julian no era todavía lo suficientemente mayor como para sentarse a la mesa en su silla alta y John, a pesar de que muchas de sus actitudes eran muy poco convencionales, tenía principios pasados de moda. Había que enseñar a Julian a tener buenos modales en la mesa. Una vez tuve problemas a la hora de comer porque le empecé a poner caras a Julian y, en broma, saqué la lengua. «Ya está bien —me gruñó John—. Se pondrá a imitarte y no quiero que haga eso.».

La alcoba de John y Cynthia era una de las seis que había en el primer piso. Estaba enmoquetada de blanco y tenía cuarto de baño independiente; la bañera era como una piscina. Nunca había visto tanto lujo en toda mi vida.

Julian tenía en su cuarto un caballo de juguete de tamaño natural, pero era muy pequeño para subirse en él sin caerse. Soportaba mi peso con Julian sentado delante de mí.

Todo lo que había en la casa era abundante y grande. En el salón había preciosos cristales emplomados en la ventana que daba al jardín. Se veían los establos, que John había reconstruido, y una inmensa piscina que, por desgracia, no se podía usar todavía, porque John había diseñado un complicado ojo sicodélico que iba en el fondo y todavía estaban poniendo los azulejos.

Era evidente que John estaba orgulloso de su casa nueva. Un día nos dijo: «Mimi ha comentado a veces que lo que pasa es que he tenido suerte con Los Beatles, como si me hubiera tocado una quiniela o algo así. Pero creo que ahora empieza a darse cuenta de todo lo que hemos trabajado y de que nos merecemos lo que tenemos; especialmente, después de habernos acompañado este verano en nuestra gira por el Lejano Oriente». En junio de 1964, Los Beatles habían actuado en Hong Kong, Australia y Nueva Zelanda.

Las cortas vacaciones que Jacqui y yo pasamos con John en Kenwood significaron mucho para nosotras. Era fantástico estar otra vez en familia. La casa también era fantástica, pero habríamos sido igual de felices en la vivienda del jardinero. Lo importante era estar con John. En casa de Harrie teníamos vida familiar, por supuesto. Pero no era lo mismo que estar con nuestra propia familia, con John. Era como si mamá fuera a aparecer bailando un vals por el agujero de la pared de la cocina de Cynthia con una bandeja de bollos recién sacados del horno y tarareando una de sus canciones humorísticas.

En el suelo del salón había unos abombados sacos de lienzo que nos intrigaban muchísimo. Cynthia nos explicó que contenían las cartas que le mandaban a John sus fans y nos invitó a que les echáramos un vistazo. Nos pasamos varias horas totalmente absorbidas leyendo algunas de las miles de cartas. Era fascinante ver la pasión que las fans sentían por Los Beatles. Y digo «las fans» porque casi todas las cartas eran de chicas.

Mi querido John:

Esta carta será breve porque tengo los ojos llenos de lágrimas. Nunca podré amar a otra persona ni me casaré. No me abrazarán nunca otros brazos. Ni me besarán otros labios porque, para mí, tú eres un dios griego. Eres la novena maravilla del mundo.

Todo lo que hago es amarte.

Karen R.
Seattle, Washington.

Querido John:

Estás demasiado delgado. Deberías comer pizza o lasaña para ganar algo de peso. Así habría más de ti para más de nosotras.

Preocupada,

Ane Marie D.
Freeport, Louisiana.

Beatle John:

¿Qué sucede con las chicas que llevan aparato en los dientes y gafas, están gordas y tienen montones de pecas? ¿Tienen alguna oportunidad?

Con esperanza,

Margaret K.
Pittsburgh.

Decidimos contestar algunas explicando que éramos amigas de John. Me gusta pensar que las chicas que recibieran nuestra respuesta se sentirían gratamente sorprendidas y que no les importaría que fuéramos las suplentes de John. Seguro que se daban cuenta de que a Los Beatles les resultaba imposible responder a los miles de cartas que llegaban todos los días de todas partes del mundo.

Creo que a Cynthia le agradaba nuestra compañía. A menudo se pasaba sola muchas semanas cuando John estaba de viaje o cuando grababan durante horas y horas en los estudios de la EMI. Sí, se debía sentir muy sola en aquella casa, rodeada de todos los lujos y sin poder compartirlos con nadie.

Afortunadamente, cuando nosotras estuvimos, John pasó allí mucho tiempo. En ese momento, su mayor preocupación era aprender a conducir, cosa que no había hecho nunca. Cuando tuvo tiempo para aprender, no tenía dinero para comprarse un coche. Y entonces ocurría exactamente al contrario: tenía tres coches (un Ferrari negro, un Mini blanco con ventanillas eléctricas y el Rolls) pero no los podía conducir hasta que no hubiera aprobado el examen. Pero eso no le impedía que nos quisiera llevar a dar un paseo. Estábamos espantadas y convencidas de que tendríamos un accidente. Y, ¿qué pasaría si nos paraba la policía?

«No hay ningún problema —nos dijo—. Vamos a ir a dar una vuelta por el campo de golf. Y no hay peligro de que nos metan en chirona. ¡Yo soy un Beatle!»

Y nos fuimos al campo de golf, donde estuvimos subiendo y bajando por las calles y por las hoyas de arena con una falta de respeto tan absoluta a la santidad del lugar que habría espantado a los miembros del club de golf. Afortunadamente, era demasiado temprano como para que hubiera nadie jugando y no pudimos comprobar la teoría de John sobre la infalibilidad de Los Beatles.

Como John empezó con una nueva serie de sesiones de grabación en Londres, nosotras pasábamos mucho tiempo con Cynthia. Era encantadora. No era en absoluto, ni lo había sido nunca, ambiciosa por lo que se refiere a John. Era feliz con él tal como era. El dinero no se le había subido a la cabeza y era tan natural como toda la vida. Siempre he creído que si las cosas hubieran funcionado bien entre John y ella, habríamos terminado siendo amigas. Es triste, pero después de que John y ella se separaran, sólo la he vuelto a ver en dos ocasiones: una de ellas en el funeral de Harrie, en 1972, y otra a petición de John.

Pasamos unos días muy felices juntos, paseando por las orillas del Támesis, con Julian en la sillita, dando de comer a los patos o yendo al campo a merendar. Un par de veces, el chófer nos llevó a las tres a Londres para hacer compras en Harrods y en Harvey Nichols, en Knightsbridge. El dinero no tenía ninguna importancia, podíamos gastar lo que quisiéramos y comprar todo lo que se nos antojara. Eso nos puso a Jacqui y a mí en una situación violenta, ya que nos daba miedo decir que algo nos gustaba mucho. Si lo hacíamos, Cynthia simplemente sacaba la chequera del bolso y se empeñaba en que nos lo compráramos. Cada vez que escribía un cheque, era muy divertido ver a todos los dependientes murmurar y darse codazos en cuanto reconocían el nombre.

Nos compramos blusas, jerseys de cachemir, pantalones de piel y un traje cada una para el concierto de Los Beatles al que nos iba a llevar John y que tendría lugar esa misma semana. Cuando salimos, íbamos cargadas de paquetes, y el portero de Harrods, con su uniforme verde y dorado, nos trató como a miembros de la realeza: estaba esperando para abrirnos la puerta del Rolls y ayudarnos a entrar. Era la primera vez que veía que algunas señoras le dejaban el perro al portero de Harrods. ¡Increíble!

Un domingo, John nos llevó a visitar a George y Pattie Harrison. Vivían en un bungalow muy grande y de una sola planta que se llamaba Kinfauns; tenía piscina cubierta, con agua caliente y estaba en Esther. Cynthia fue la que llevó el coche; incluso John tenía que reconocer que en carretera ella era más segura al volante que él.

Cynthia y Pattie se habían hecho amigas. Tenían en común que vivían cerca y que las dos tenían un marido Beatle, así que fue natural que surgiera la amistad. Además, ninguna de las dos se sentía violenta por el dinero de la otra, cosa que a menudo las apartaba de otras amigas menos afortunadas o más envidiosas. Habíamos visto a Pattie frecuentemente aunque no nos la habían presentado. Cuando era Pattie Boyd, la modelo, su rostro se había hecho muy popular en la televisión anunciando patatas fritas. Jacqui y yo no lo podíamos creer: estábamos en casa de Pattie Boyd y la habíamos visto en los almacenes Woolworth de Liverpool haciendo una promoción como chica Smith's Crisp.

La casa era muy moderna, con muebles de pino y enormes almohadones de colores por el suelo, al estilo indio, en vez de sillas. Todos nos sentamos en el suelo: Jacqui y yo hablábamos mientras escuchábamos música y los otros charlaban entre ellos. No podíamos olvidar que la semana siguiente John nos iba a llevar a nuestro primer concierto de Los Beatles.

Nuestra introducción a la Beatlemanía en toda su pureza no fue diferente, fue explosiva. Era 1964 y Los Beatles tocaban en el Finsbury Park Astoria de Londres. En el coche me di cuenta de que John estaba inquieto. Pero entonces no sabía lo que nos esperaba, ni a él ni a Jacqui y a mí.

El teatro estaba rodeado por una muchedumbre frenética y aullante. El ruido era horrendo y poco tranquilizador. Se detuvo el Rolls y un mar de caras y de brazos ondulantes vino hasta nosotros en oleadas, mientras una barrera de policías con los brazos unidos luchaba para echar a la gente hacia atrás. El chófer ya estaba bastante acostumbrado. Maniobró el Rolls con gran habilidad y alineó la puerta de atrás con la de la entrada al escenario para que pudiéramos entrar antes de que nos engullera la multitud.

En el vestuario reinaba la tranquilidad. Los muchachos estaban sentados, tomándose una Coca y, aparentemente, sin prestar atención al delirio de la calle. Mick Jagger estaba allí y recuerdo que me impresionó mucho.

Y, entonces, alguien asomó la cabeza por la puerta y dijo: «Diez minutos. Se están volviendo locos. Están como salvajes ahí fuera».

Habían acordonado las cuatro primeras filas del teatro y estaban vacías. Era una medida de seguridad para evitar que las fans se subieran al escenario. Estaban demasiado ocupadas gritando como para fijarse en que Jacqui y yo salimos por uno de los laterales del escenario y fuimos a ocupar nuestros asientos. En cuanto Los Beatles surgieron en escena pareció como si se hubieran desatado las furias del infierno. A pesar de estar sentadas cerca, no podíamos oír absolutamente nada. Los gritos histéricos apagaban todos los sonidos, excepto los compases más altos. De repente, el público empezó a moverse hacia el escenario saltando por encima de los asientos, dándose empujones a nuestro alrededor y chillando al mismo tiempo. Yo había ido a un concierto de los Stones en Liverpool, pero no era ni parecido.

Entonces, entre dos números, John gritó: «Traed a las niñas. ¡Rápido!» Y dos de los guardias de seguridad nos arrancaron de nuestros asientos y nos llevaron a la parte de detrás del escenario. Vimos el resto entre bastidores, el lugar más seguro para presenciar un concierto de Los Beatles. Era como un manicomio y me hizo reflexionar sobre las tremendas tensiones a que debían estar sometidos continuamente.

En otra visita que hicimos al Sur, John nos llevó a una sesión de grabación en los estudios EMI de Abbey Road. Estaban trabajando en el single *Day Tripper/We Can Work It Out*, que debía salir al mes siguiente. Era el mes de noviembre de 1965 y la Beatlemanía aún no se había extinguido. Eso significaba que entrar en la encantadora mansión georgiana sede de los estudios era tan peligroso como siempre. Una muchedumbre de fans de Los Beatles nos descubrió en un atasco y se dirigieron corriendo hasta el Rolls. «¿Me puede dar su autógrafo, por favor?», me rogaba una chiquita que no podía tener más de doce años. «¿Por qué me lo pides a mí?», le pregunté. «Porque va con *él*.»

Mientras John y los muchachos estaban trabajando en el estudio, a nosotras tres, Jacqui, Cynthia y yo, nos llevaron a ver la sala de control. Allí se nos unió George Martin, el productor, y su ingeniero jefe Norman Smith, que había estado haciendo los ajustes de último momento a los amplificadores y a los micrófonos.

Todos pensábamos que los *Cuatro Fabs*[*] hacían música con toda facilidad, pero no siempre era así. En ocasiones hacía falta tiempo para que empezara a manar la savia creadora, como estábamos viendo.

Ya era la segunda sesión y habían trabajado bastante;

---

[*] N. de la T.: *Fab:* abreviatura de *fabulous* (fabuloso).

sin embargo, se necesitaba bastante más para que el resultado pudiera recibir el nombre de música, aunque fuera remotamente. Después de lo que nos pareció una eternidad mientras estaban afinando, lo único que salía por los altavoces en la sala de control era una serie de acordes disonantes, algunas voces y unas pocas pruebas preliminares.

Después de tres horas, ya estábamos hartas y decidimos darnos un paseo. Vagamos por la calle manteniéndonos a distancia de las fans que sabían que estábamos con él y reflexionamos sobre la extraña experiencia. ¿Cómo era posible que algo tan fantástico como la música de Los Beatles surgiera de esa mezcolanza de sonidos inconexos y discordantes?

Cuando volvimos al estudio, nos sorprendió un nuevo sonido. La mezcolanza se había transformado mágicamente en *Day Tripper*. En total, se habían necesitado ocho horas de trabajo ininterrumpido para producir tres minutos de música. Piense lo que piense la gente, John se ganaba la vida trabajando muy duramente.

Ese mismo año, 1965, Alf Lennon intentó rehabilitarse. Debió decidir que era el momento de reaparecer y reclamar su parte correspondiente de fama según su papel de padre que John perdió hacía mucho tiempo.

Paul McCartney siempre estaba muy cerca de John en asuntos de familia. Acaso porque las muertes de sus madres se habían producido en un período de tiempo tan corto. Paul me contó lo que había sucedido.

«Lo primero que supe, lo leí en un artículo del *Sunday People*. Era algo así como ''El padre de un Beatle friega platos en el hotel Greyhound de Hampton Court''.

»Estaba con John cuando lo leyó. Lo único que dijo fue algo así como ''Oooohhh ...''. Afortunadamente, los dos teníamos sentido del humor y terminamos riéndonos. Sin embargo, finalmente John aceptó verle.»

Lo que apenaba a John era que Alf no hubiera intentado ponerse en contacto con él desde 1945, cuando John tenía cinco años y que sólo le hubiera movido a hacerlo el éxito de Los Beatles. Alf no era, evidentemente, aficionado a la música pop, porque dijo que no tenía ni idea de la asombrosa carrera de su hijo hasta que un compañero de trabajo le enseñó una foto que venía en un periódico. «Si este no es tu hijo, Alf Lennon, no sé de qué otro puede ser», le dijo.

Inmediatamente después, empezaron a aparecer en los periódicos historias de Alf, aunque él negaba resueltamente que buscara publicidad. «No lo pude evitar», explicaba.

«No le vi nunca hasta que gané un montón de dinero y entonces regresó —diría John posteriormente—. Abrí el periódico y allí estaba, trabajando en un hotel pequeño muy cerca de donde yo vivía, en Weybridge. Antes me había escrito alguna vez para intentar ponerse en contacto conmigo. Pero yo no le quería ver. Estaba muy dolido por lo que le había hecho a mi madre y porque no se hubiera molestado en volver hasta que yo no fui rico y famoso.

»En principio, no tenía ninguna intención de verle pero empezó a chantajearme desde la prensa, diciendo que era un pobre viejo que tenía que fregar platos mientras que yo vivía lujosamente. Me compadecí de él y nos vimos, y supongo que se estableció entre nosotros algún tipo de relación.»

Después de su primer encuentro, John estaba bastante animado. Le dijo a su viejo amigo Pete Shotton: «Ha sido una agradable sorpresa, Pete. Es un tipo muy divertido, un loco como yo».

La relación se agrió cuando Cynthia invitó a Alf a que fuera a pasar la noche a Kenwood. La noche se convirtió en tres días y en ese lapso de tiempo se produjeron algunas escenas altamente emocionales entre John y Alf.

Alf consiguió poner a John completamente furioso cuando se asoció con el productor de discos en pequeña escala Tony Cartwright. Juntos elaboraron un plan indignante para promocionar a Alf como cantante pop. Y aunque parecía imposible, incluso consiguieron un contrato y grabó con Pye su primer y único single *That's My Life (My Love and My Home)* con la etiqueta de Picadilly. De tal hijo, tal padre, *That's My Life* apareció exactamente cuatro semanas después del LP de Los Beatles *Rubber Soul*, que incluía una canción autobiográfica de John, *In My Life*. El título casi idéntico y el momento en que se lanzó eran demasiado para ser una simple coincidencia. Pero Alf, como siempre, sabía aprovechar la situación. Envió ejemplares de promoción de su disco a los disc-jockeys más importantes y a los editores musicales, acompañados de una entusiasta reseña de prensa. Y empezó a llamarse a sí mismo Freddy, un diminutivo de Alfred mucho más moderno.

«Freddy Lennon, de 53 años, padre de John, ha grabado su primer disco», se puede leer en la reseña de prensa de Alf. «Durante casi toda su vida, el señor Lennon ha sido músico no profesional. Proviene de una familia dedicada a la música ya que su padre fue uno de los fundadores de los Kentucky Minstrels y le enseñó a cantar cuando era joven. Cuando se embarcó, hace doce años, trabajaba de camarero. Posteriormente, ha estado empleado en varios campamentos de vacaciones y otros centros de veraneo. Hace siete años, pasó a vivir en Londres. A Freddy siempre le ha interesado escribir canciones, aunque no se lo haya tomado muy en serio. Hace seis meses conoció a Tony Cartwright, su manager. Juntos, escribieron *That's My Life*, la historia dc la vida de

Freddy. Un editor musical aceptó la canción y, finalmente, se ha grabado.»

That's My Life hizo las delicias de los disc-jockeys. Musicalmente hablando, no era gran cosa, pero sólo por la curiosidad que despertaba era excelente para emitirla. A John le ponía muy nervioso que su padre se pusiera en ridículo así y, lo que es peor, que quedara expuesto a las acusaciones de que se estaba aprovechando del nombre de su hijo. Pero las iras de John se dirigían principalmente hacia Tony, el manager de Alf. Como había animado a Alf a que hiciera el disco, John pensaba que se estaba aprovechando del desconocimiento de Alf sobre el mundo de la música.

Para colmo de desgracias, Piccadilly Records puso en circulación unas fotos publicitarias de Alf intentando tocar la guitarra, y con la boca, de la que se puede decir cualquier cosa menos desdentada, completamente abierta como si estuviera cantando. John era muy sensible y se preocupaba mucho de su familia, así que le pareció horrible el ridículo público en que se había puesto su padre. Lamenté mucho, por John, todo lo que sucedió con Alf. Me acuerdo que pensé: «Qué gusto que no sea *mi padre*».

La siguiente vez que Alf apareció por Kenwood, John le echó disgustado. Charlie Lennon, el hermano pequeño de Alf, explica cómo llegó la crisis: «En cuanto el disco de Alf empezó a subir en las listas de éxitos, Brian Epstein tomó cartas en el asunto y, por algún medio, logró el control de su contrato con la compañía de discos. Antes de que nadie se diera cuenta, el disco había desaparecido de la vista. Tony Cartwright y Alf fueron a casa de John para hablar del tema, pero John les dio con la puerta en las narices. Después, esa misma noche, Alf me llamó a Birmingham y me lo contó todo. Me dijo que estaba seguro de que John no le habría echado si hubiera ido solo, sin Tony. Alf estaba muy dolido, evidentemente. Me dijo: ''El error, en primer lugar, ha sido meterme en todo esto''.

»Francamente, yo estaba un poco disgustado con John por haber tratado así a su padre, y le escribí una carta horrible en la que le decía que se había portado como un niño. Su respuesta fue una llamada de teléfono, totalmente inesperada; me invitó a ir a Kenwood a hacerle una visita. ''¿Por qué no te tomas algún tiempo libre y vienes a ver a tu infantil sobrino, tío Charlie?'', me dijo.

»Me resultó difícil que me dieran permiso en el trabajo ese fin de semana, pero lo conseguí y me fui a verle desde Birmingham. Cuando llegué, John estaba fuera, en el rodaje de una película, y me pasé la tarde charlando con Cynthia.

»Cuando llegó a casa esa noche, venía feliz como un niño y me dijo una y otra vez que pensaba que su padre era fenomenal, a pesar de lo que pudiera decir otra gente. Así que no me atreví a mencionar la carta, no me fuera a dar un puñetazo en la nariz o fuera a pasar algo peor.

»Sé que Alf estaba realmente orgulloso de John. Me decía con frecuencia: ''Mi hijo es un típico Lennon, como debe ser. En esta familia hay talento. Fíjate, si no, en nuestro padre. Nuestra madre solía decir que si hubieran tenido dinero para comprar un piano, con toda seguridad que alguien de la familia habría sido pianista''».

Tres años después, en enero de 1968, Alf se volvió a poner en contacto con John. Esta vez era porque planeaba volverse a casar con una chica de diecinueve años, fan de Los Beatles, que se llamaba Pauline Jones. Incluso Charlie se quedó atónito cuando tuvo noticias de la próxima boda. «¿Diecinueve años? Estuve a punto de caerme al suelo —dijo Charlie—. Le dije: ''Es que no has tenido bastante con un matrimonio fracasado? ¿Es que no vas a aprender nunca? Esa chica podría ser tu nieta''. Pero Alf no escuchaba, nunca lo hizo.»

La futura esposa de Alf estudiaba en la Universidad de Exeter pero dejó su carrera ante el inminente matrimonio. Alf le dijo a John que Pauline era muy inteligente. A lo mejor, sugirió lleno de esperanza, la podía contratar como secretaria personal en cuanto se convirtiera en la señora de Lennon. John no sabía decir que no a nadie, ni siquiera a Alf, lo que le causaba muchos problemas.

La nueva señora Lennon empezó a trabajar, pero no duró mucho. Fue despedida al cabo de cinco meses. Sin embargo, John siguió ocupándose del bienestar de su padre y le compró una casa de 15.000 libras cerca de Kew Gardens, en la parte oeste de Londres. También le compró los muebles y le fijó una asignación de 30 libras a la semana. Pero Alf nunca estaba satisfecho. Poco después, él y Pauline decidieron irse a Brighton y John siguió pagando parte de sus gastos.

El primer hijo de Alf y Pauline debió nacer en la época en que John y Yoko contrajeron matrimonio, en 1969. David debía tener apenas un año cuando Alf pensó que estaría muy bien que conociera a su medio hermano.

Alf decidió hacer una visita sorpresa a Tittenhurst Park, la casa nueva de John y Yoko, una hermosa propiedad de 70 acres situada en Ascot, Berkshire. Fue una decisión poco afortunada. Alf apareció de repente en un momento especialmente inoportuno, uno de los muchos de la turbulenta vida en común de John y Yoko. Y, además, Yoko no estaba precisamente deseosa de conocer a su nuevo cuñado que entonces empezaba a andar. Una vez más, tuvieron unas palabras y le señaló a Alf la salida.

Lo que es extraño es que, a pesar de su ira, John seguía preocupándose por el padre que nunca había conocido realmente. Cuando, años después, le ingresaron en el hospital porque estaba muriéndose de cáncer, John le llamaba todas las noches.

Alf estaba demasiado enfermo y no podía hablar, pero John parloteaba sobre la familia y sobre su madre, Julia. Cuando Alf murió, en abril de 1976, John quiso pagar los gastos del entierro. Pauline, y esto dice mucho en su favor, no lo permitió. Dijo que pensaba que, como viuda de Alf, le correspondía a ella. John, triste y abatido por tener que despedirse, no asistió al funeral.

Corría 1966 y Los Beatles decidieron dejar de hacer giras. Preferían la intimidad y el refugio del estudio de grabación. Los conciertos en vivo, con el público histérico, les exigían demasiado físicamente y eran muy limitados artísticamente. Ni Brian Epstein ni el equipo de *management* se mostraron muy satisfechos con esta decisión. Pero Los Beatles ya habían tenido suficiente. Después de tres años por las carreteras, de tener que enfrentarse por todo el mundo con las fans que chillaban y de ser siempre el centro de atención, habían llegado al límite.

Y, lo que es peor, mucha gente empezaba a considerar su habilidad musical como una especie de poder celestial. Hubo padres desesperados, con hijos enfermos y lisiados, que se subieron al escenario a rogar a Los Beatles que les tocaran para que se pusieran bien. La Beatlemanía empezó a aterrorizarlos. Querían escapar, volver a ser gente normal.

Cualquier cosa que dijera cualquiera de ellos, aunque fuera algo sin importancia, pasaba a ser la pura verdad. Se habían convertido en las cuatro personas más importantes del mundo y sus actos eran tan relevantes como los del presidente de los Estados Unidos o los del dirigente de la Unión Soviética. Un ejemplo claro fue el discutible comentario de John, cuando afirmó que Los Beatles «eran más populares que Jesús». Aireado por la prensa, la controversia llegó a su punto álgido durante su gira por Estados Unidos que, además, resultó ser la última que hicieron.

«Fue una gira muy dura —me dijo Paul—. Después del comentario de John sobre Jesús, todos los hombres del Ku Klux Klan se pusieron a quemar nuestros discos sobre cruces y había manifestaciones de protesta contra nosotros. Como gira, no fue peor que las anteriores, pero ya estábamos hartos. Nuestros conciertos estaban siempre llenos a rebosar y los espectáculos individuales eran fantásticos, pero siempre había alguien que nos quería dar un golpe. Recuerdo que John y George estaban cabreadísimos, así que decidimos tirar la toalla y trabajar en el estudio.»

Tomado en su contexto, el comentario de John no era blasfemo en absoluto, a pesar de lo que pensara la gente. No hizo el comentario con prepotencia, era una observación realista sobre la opinión que tenían muchos jóvenes sobre Los Beatles. Y, por desgracia, era verdad que los fans expresaban mucho más entusiasmo por asistir a un concierto de Los Beatles que a la iglesia. Sé que John se quedó pasmado por la reacción de la gente ante lo que había dicho. No se había dado cuenta de la enorme esfera de influencia que tenían Los Beatles. Era demasiada responsabilidad. No eran políticos ni manipuladores y no podían aceptar que les presionaran para ser algo más que músicos. Así que decidieron desaparecer de la vista del público, y el 29 de agosto de 1966 dieron su último concierto en el Parque Candlestick de San Francisco.

CAPÍTULO 4

VIDAS ALEJADAS

Siento un gran temor por lo que se suele denominar «normalidad». Ya sabes, los que aprueban los exámenes, los que van a trabajar, los que no son rockeros, los que sientan la cabeza, los que aceptan «el trato». Eso es lo que intento evitar. Pero estoy harto de evitarlo por medio de mi propia destrucción. Ahora he decidido que quiero vivir. En realidad, lo decidí hace mucho tiempo pero hasta ahora no me he dado cuenta de lo que significaba. He tardado muchos años en llegar a esta conclusión y no voy a pasarla por alto. Esta vez quiero tener algo real.

JOHN LENNON

Como no la conozco personalmente, no tengo ninguna relación tangible con Yoko Ono. Es muy sencillo, nunca hemos estado a la vez en el lugar adecuado y en el momento justo o, mejor dicho, ni en ningún lugar ni en ningún momento. Hemos hablado por teléfono algunas veces, pero sólo en los casos en que John y yo nos llamábamos y ella interrumpía por una extensión.

En cualquier caso, probablemente tenemos muy poco en común, aparte de John. Parecía que no quería compartir a John con nosotras, como hacía Cynthia. Cuando John se fue con ella a vivir a Estados Unidos, perdió el contacto con toda la familia.

Mi hermano conoció a Yoko cuando ella vivía con su marido americano, Anthony Cox, y la hija de ambos, Kyoto. El 9 de noviembre de 1966 fue la fecha de ese encuentro decisivo. John había ido a la inauguración privada de su exposición «Pinturas y Objetos Inacabados» que se celebraba en la Indica Gallery en la calle Manson Yard, que sale de Piccadilly. Les presentó John Dunbar, dueño de la galería y marido de Marianne Faithful.

Su encuentro tuvo lugar en un momento en que John buscaba sentido a su vida. Las exigencias físicas y el estrés mental de diez años de conciertos empezaban a pasar factura y se le empezaban a notar los efectos de la droga. Buscaba un sentido nuevo, un objetivo, y Yoko fue la fuerza motriz. Su relación iba a afirmar o a modificar muchas de las ideas preconcebidas que tenía sobre la música, el arte, la política, las mujeres, la carrera y la familia.

Yoko era una artista de vanguardia poco conocida y su estrafalario carisma hechizó completamente a John. Descubrió que se podía comunicar con ella intelectualmente, cosa que nunca le había sucedido anteriormente con ninguna mujer. Cynthia era totalmente diferente. A pesar de todas sus virtudes como esposa y madre, era conservadora y poco mundana. Ella misma lo admite: «A veces daba la impresión de ser una aburrida esposa corriente en vez de la alegre y extrovertida consorte de una estrella pop».

John se quedó alucinado con Yoko. «Nunca había conocido un amor como éste —afirmó meses después—. Me produjo tanto impacto que tuve que romper inmediatamente mi matrimonio con Cynthia. No crea que fue una decisión atolondrada, porque medité mucho sobre ello y sobre lo que implicaba. Cuando los dos seamos libres, acaso dentro de menos de un año, nos casaremos.

»En realidad, no tenemos ninguna necesidad real de casarnos, pero tampoco perdemos nada. Algunos pueden pensar que mi decisión es muy egoísta. Bueno, yo creo que no.

»Hay otra cosa a tener en cuenta. ¿No es mejor evitar criar a los hijos en el seno de una relación forzada? Mi matrimonio con Cynthia no fue infeliz, pero seguíamos manteniendo una situación marital en la que no sucedía nada. Y eso se sostiene hasta que se encuentra a alguien que, de repente, te incendia.

»Con Yoko se puede decir que conocí el amor por primera vez en mi vida. Inicialmente, la atracción fue mental, pero luego pasó a ser física también. Las dos son necesarias para la unión, pero nunca pensé que me podría volver a casar. Y ahora el pensamiento viene a mí con toda facilidad.»

La decisión de John de abandonar a su encantadora esposa inglesa por una artista japonesa no fue exactamente popular. Cynthia, que llevaba enamorada de John casi desde el momento en que le vio por vez primera en la Escuela de Arte, se mostró muy comprensiva con su abandono. Admiro muchísimo su actitud.

«No culpo a John ni a Yoko —dice—. Entiendo su amor. Sabía que no podía luchar de ninguna forma contra la unión de cuerpo y alma que tienen. En su amor apasionado no había tiempo ni para el dolor ni para la infelicidad. Yoko no me ha quitado a John porque, en realidad, nunca fue mío.»

Cuando los miembros de la familia tuvieron noticia de la ruptura inminente, se sintieron muy perturbados. Pero nadie puso en duda ni por un momento que John haría exactamente lo que quisiera. Era un hombre de personalidad muy fuerte.

Si había decidido hacer una cosa, la haría. Pero la familia estaba preocupada por Julian, Cynthia y lo que significaría para ellos. Cynthia siempre nos había caído bien y fue encantador ver crecer a mi sobrinito.

Cynthia solicitó el divorcio el 22 de agosto de 1968 alegando el adulterio de John con Yoko, que él no negó.

En noviembre, dos semanas después de que el Tribunal de Divorcios de Londres enviara a Cynthia la sentencia previa, Yoko perdió al bebé que esperaban para el mes de febrero.

Me sentí muy apenada por Cynthia porque sabía lo mucho que quería a John todavía. La inevitable publicidad que acompañó al primer divorcio de un Beatle hizo las cosas más difíciles para ella. Ya era bastante malo que tu marido te rechazara como para, encima, tener que sufrir la humillación de ser públicamente rechazada en los vociferantes titulares de los periódicos. Desapareció y después supimos que se había marchado a Italia para recuperarse de sus heridas en brazos del heredero de una cadena de hoteles llamado Roberto Bassanini. Se casó con él dos años después del divorcio, en julio de 1970, en el Registro de Kensigton, en la parte oeste de Londres. Pero ni ella ni Julian eran felices con la vida de miembros de la jet-set que le gustaba al rico italiano. Poco después, se divorciaron. Cynthia, que en el fondo seguía siendo una chica de Liverpool, volvió con Julian a Merseyside y compró un bungalow en la parte elegante del Wirral, la península que se encuentra entre el Mersey y el estuario del Dee.

Por otro lado, mi vida había dado un giro definitivo y para bien. En 1965, a la edad de dieciocho años, conocí a Allen Baird. Allen todavía estaba en el colegio, en Irlanda del Norte, haciendo los exámenes de nivel avanzado para sacar el Certificado General de Educación y había proyectado estudiar Psicología en la Universidad de Queen, en Belfast. Yo era dos años mayor y estaba a punto de comenzar mi curso para graduados en Chester College, donde iba a estudiar Francés y Lingüística. Los dos habíamos pensado trabajar en verano y ahí es donde nos conocimos, en el Campamento de Butlin en Pwllheli, en el Norte de Gales.

Allen trabajaba de cocinero y yo de doncella, lo mismo que mi prima Leila el verano en que murió mi madre. Allen y yo hicimos buenas migas inmediatamente. Era un irlandés encantador, lleno de alegría y muy inteligente. A los pocos días de conocernos ya estábamos trazando planes para vernos al verano siguiente. Después de una emocionada despedida, me fui a Chester para empezar mi primer trimestre y Allen volvió a la escuela, a Belfast. En Navidad regresó a Inglaterra y le presenté a mi padre. Se cayeron bien pero a mi padre le preocupaba que me comprometiera siendo tan joven. «Por favor, no seas tan seria —me dijo—. Sois los dos muy jóvenes.»

Durante el último año había notado que mi padre volvía a ser el mismo papá de antes de la muerte de mi madre. Y estábamos construyendo una buena relación. Por primera vez en diez años era capaz de hablar de mamá sin romper a llorar. Aunque parecía que estaba alegre y contento, yo tenía la sensación de que se sentía muy solo y seguía echando mucho de menos a mi madre a pesar de los años transcurridos. Creo que nunca la olvidó.

Sin embargo, decidió casarse. Se llamaba Rona y tengo que admitir que en ese momento no me porté nada bien y fui muy poco comprensiva. Jacqui y yo le habíamos recuperado y no queríamos compartirle con nadie. Además, nos resultaba difícil pensar que pudiera tener una relación afectuosa con alguien que no fuera o mamá o nosotras. Una buena amiga mía fue la que me hizo comprender que estaba siendo completamente irrazonable. «Reconoce la realidad, Julia —me dijo—. Tu padre tiene derecho a ser feliz. Te estás portando como una egoísta.»

Y tenía razón, pero yo me sentía amenazada por su nueva relación con Rona.

Mi padre era un hombre encantador. A menudo cogía su viejo Jaguar y venía a verme a la universidad y se llevaba muy bien con mis compañeras. Se arremolinaban a su alrededor y hacían muchos aspavientos a la vez que afirmaban que les resultaba difícil creer que fuera mi padre. Pasamos mucho tiempo juntos y llegamos a ser muy buenos amigos. Cuando andaba corta de dinero, lo que me pasaba con frecuencia en mi época de estudiante, me conseguía trabajos a tiempo parcial para los fines de semana en el pub de Liverpool que dirigía, el New Bear's Paw. Seguía siendo tan generoso como siempre y me daba todas las propinas que recaudábamos, lo mismo que hacía con John; sacaba el dinero de un gran bote que, para este efecto, había sobre la barra. Después del trabajo era frecuente que nos tomáramos algo y charláramos un rato en un rincón tranquilo. Allí me dio a probar el oporto con limonada, una bebida realmente deliciosa. «Pero no debes beber mucho», solía decirme. Él sí que había bebido mucho después de tantas horas en el pub.

Una mañana de febrero de 1966, muy temprano, uno de los compañeros de bebida de mi padre, un hombre llamado Harry, apareció por la universidad preguntando por mí. Una de mis compañeras le encontró en la puerta de entrada y le acompañó hasta el edificio donde yo vivía. Le pidió que esperara un momento mientras entraba a avisarme. «Julia, ven corriendo. Ahí fuera hay un hombre que quiere verte. Se llama Harry y está completamente borracho.»

Creo que lo supe en ese momento. Salí precipitadamente y descubrí a Harry agachado en el suelo, con la cabeza entre las manos y con el cuerpo temblando por los sollozos. Harry levantó la cabeza y en su cara se retrataba la angustia más terrible. «He venido a decirte —balbuceaba llorando—, he venido a decirte que... tu padre ha muerto.»

Me quedé desolada. No me podía creer lo que me estaba diciendo. Le miré fijamente tratando de entender algo y la terrible realidad fue penetrando en mi cerebro lentamente mientras me decía que mi padre había muerto seis horas antes en un accidente de carretera. Me quedé anonadada. Era la segunda vez que sucedía. Dos accidentes de coche, y mis padres estaban muertos, los dos. Mi tía, Nanny, llamaba por teléfono en ese preciso momento para darme la noticia. Me vestí de cualquier manera y mi amiga se ofreció a venirse conmigo en tren hasta Liverpool. Cuando llegué, Jacqui ya lo sabía.

Lo único que podíamos hacer era intentar consolarnos la una a la otra. No asistí al funeral. No podía. El dolor era demasiado intenso. Primero mamá y ahora él. Era incomprensible haberlos perdido a los dos de la misma insufrible manera. La angustia que me produjo su muerte sólo sirvió para reavivar la que me había producido la de mi madre. Durante mucho tiempo estuve conmocionada llorando a mi padre y, de nuevo, a mi madre.

El accidente se había producido cuando mi padre y Rona regresaban a casa después de haber pasado la velada con unos amigos en Ruthin, Norte de Gales, que estaba como a una hora de Liverpool por carretera. Salieron bastante tarde y se pusieron en camino para volver sobre la una de la madrugada. Caía una fina llovizna y había niebla, pero llegaron a Liverpool sanos y salvos. Cuando giraban por Penny Lane, apenas a una milla de su casa, de repente el coche viró sin poderlo controlar y chocaron contra una farola. Rona sufrió pequeños cortes y contusiones, pero mi padre murió a causa de sus heridas poco después de que le ingresaran en el hospital.

De nuevo tuve que intentar recoger los fragmentos de mi vida y volví a la universidad. Sólo me quedaba mi familia para asegurarme que aún restaba algo de cordura en el mundo.

Allen, mi futuro marido, ya sabía que John Lennon era hermano mío, aunque no se lo había dicho al principio. Puede parecer extraño, pero siempre he guardado silencio sobre mi parentesco con John. A pesar de que estoy orgullosa de que *fuera* mi hermano, siempre he pensado que mi relación personal con él no le importaba a nadie.

La fama de John era la fama de John y sólo me afectaba hasta donde yo lo permitía. En el colegio era algo sabido, así que tuve que enfrentarme con más preguntas sobre el tema. Por lo general, había un auténtico interés en cómo les iba a Los Beatles. En aquella época todo era muy emocionante y tanto los profesores como los alumnos querían enterarse de cosas. Algunas de las clases del nivel avanzado se dedicaron a discutir sus progresos.

En la última parte de su vida, un par de personas llegaron a considerar la relación con él como un símbolo de *status*. Eso no me ha pasado a mí nunca. No tenía ningún deseo de intentar vivir a la sombra de John. Yo iba a vivir mi propia vida y a mi manera. Michael, el hermano de Paul McCartney, también deseaba que le apreciaran por sí mismo. Cuando empezó a trabajar con un grupo llamado Sacffold, se cambió de nombre y pasó a llamarse Mike McGear para que nadie pensara que se estaba aprovechando de la fama de Paul.

Cuando empecé a estudiar en Chester College, el *Liverpool Echo* decidió escribir una historia sobre «La hermana de Lennon en Chester College». Toqué madera para que no lo leyera nadie. Deseaba que no lo supiera nadie para poder disfrutar de mi vida en la universidad sin que me molestaran los Beatlemaníacos ni las preguntas.

No era probable que lo leyeran. Los estudiantes provenían de todos los puntos de Gran Bretaña y habría sido mucha casualidad que alguno se pusiera a leer los periódicos locales de Liverpool. No había contado con Helen, una chica que vivía en el mismo bloque que yo y que no sólo era de Liverpool sino que además era la novia del periodista del *Echo* que había escrito la historia. Al principio del trimestre, vino a hablar conmigo y me dijo que sabía quién era yo. «Por favor, no se lo digas a nadie —le rogué—. No quiero tener dificultades.» Me hizo caso y pasé los tres años siguientes estudiando en paz.

Cuando conocí a Allen, ya había tomado la firme decisión de no pasar por la vida como «la hermana de John Lennon». Pronto descubrí que, afortunadamente, no era un gran admirador de Los Beatles. Prefería el jazz y a músicos como Charlie Byrd o Stan Getz. Pero yo sabía que en algún momento se lo tendría que decir. Era ridículo no poder hablar con el novio sobre el hermano sólo porque este último fuera famoso.

Una noche en Butlin, después del trabajo, habíamos pensado ir al cine. No había muchas películas para elegir, ya que sólo existía un cine en el pueblo. Y cuál no sería mi sorpresa al ver que la película en cuestión era *¡Qué noche la de aquel día!* Si decía que ya la había visto, como invitada especial, el día del estreno en Liverpool, lo único que iba a conseguir era estropear la noche.

Cuando terminó, empezamos a discutir sobre la música pop en general y Allen me preguntó si conocía a Them, el grupo de Belfast. «El batería es muy amigo mío —dijo— desde hace años.»

«¿De veras? —le respondí—. Es fantástico, pero me temo que te supero. John Lennon, de Los Beatles, es mi hermano.»

Se quedó completamente desconcertado. Había que ver la expresión de asombro en su cara. Pero Allen me guardó el secreto. Nunca se lo dijo a nadie. Pensaba, lo mismo que yo, que tuviera la reputación que tuviera un miembro de tu familia, buena o mala, no tenía nada que ver con tu vida. Solamente hubo una vez que me resultó difícil no hablar de mi relación con John. Fue en Liverpool, en una fiesta de Nochevieja, en la que me presentaron a una chica que no había visto en mi vida. Empezamos a charlar y me confió que, aunque no se lo debía decir a nadie, ella era en realidad una prima de John Lennon que había desaparecido mucho tiempo antes. La Beatlemanía le producía a mucha gente alucinaciones extraordinarias.

Allen y yo seguimos estando muy unidos durante todo el tiempo que asistí a la universidad. Todos los veranos nos íbamos a trabajar a Francia, porque yo soy francófila. Cuando aprobé los exámenes, Allen tenía por delante otros dos años de estudios. Yo necesitaba trabajo e hice la solicitud para un puesto de traductora de las Naciones Unidas en Ginebra. Lo hablamos y llegamos a la conclusión de que no podíamos estar separados tanto tiempo. Ya le había hablado a Harrie de nuestra boda y ésta comenzó a confeccionar la complicada lista de invitados y a hablar del «año que viene».

Volvimos a Belfast, encontramos piso y lo arreglamos todo para poder casarnos inmediatamente sacando una licencia de matrimonio de tres semanas. Fue todo tan rápido que sólo tuve tiempo de llamar a Nanny la noche antes de la boda para decírselo y pedirle que comunicara la noticia al resto de la familia.

Trabajamos mucho para instalarnos en nuestro nuevo hogar. Allen estudiaba y tenía trabajos a tiempo parcial. Yo conseguí un puesto de maestra en una escuela secundaria de la ciudad.

Mi hermana Jacqui, que ahora era peluquera diplomada, había estado trabajando en Scissors, en King's Road, Chelsea. Pero, como tanta gente que se había trasladado a Londres, estaba harta de vivir sumergida en la contaminación. Volvió a Woolton y empezó a trabajar en un salón de Liverpool. A pesar de la distancia que nos pudiera separar, siempre hemos estado muy unidas y supongo que esto no es nada sorprendente ya que hemos compartido muchas penas y muchos altibajos. Nunca nos separó el hecho de vivir alejadas. Nos llamábamos por teléfono constantemente y, con frecuencia, cogía el ferry y se venía a vernos a Belfast.

En 1970 nació Nicholas, el primero de mis tres hijos. Esa misma primavera, John y Yoko salieron de Londres e hicieron un viaje sentimental a Liverpool. Debía ser el momento más adecuado para que Yoko y yo nos conociéramos, pero Nicholas sólo tenía unas semanas y no le podía dejar mucho tiempo. Después, no volvió a surgir otra oportunidad.

Posteriormente, la familia me contó la visita. Llegaron con mucho lujo en el Rolls Royce blanco de John. Ya había sacado el carnet de conducir, pero había tenido que repetir el examen. Visitaron los sitios que prefería de niño en Woolton, Penny Lane y el centro de Liverpool, y John le enseñó a Yoko todas las guaridas de Los Beatles. El Rolls causó un gran revuelo. Todo el mundo se dio cuenta en seguida de quién iba dentro cuando se dirigió a nuestra antigua casa de Blomfield Road, en Springwood, donde habíamos vivido con nuestra madre y en la que Los Beatles daban conciertos improvisados en el cuarto de baño.

El nuevo ocupante, Georgie Wood, que sucedió a mi padre, se mostró encantado y orgulloso de verlos. Muchos fans de Los Beatles ya conocían su nombre: era el vocalista imaginario sobre el que canta Paul en *Let It Be*, el último álbum de Los Beatles.

Su parada final fue la casa de Harrie; a ella le hizo mucha ilusión que se quedaran allí. Todos los vecinos miraban por las ventanas el magnífico vehículo de John y se preguntaban qué diablos estaría haciendo aparcado en casa de los Birch. «Pero nadie lo adivinó —dice tío Norman—. Solamente un joven que vivía en la casa de al lado se imaginó lo que pasaba y dejó ante la puerta principal una cinta en la que había grabado la música de su grupo de rock.»

John me llamó desde casa de Harrie. Parecía que estaba realmente emocionado por estar de nuevo en Liverpool. Me preguntó por Allen, a quien nunca llegó a conocer, y quiso que le contara todo lo que hacía nuestro bebé. Le preocupaba que viviéramos en Belfast y quería conocer todos los problemas. Le dije que estábamos perfectamente bien ya que nuestra casa estaba en Finaghy, uno de los barrios periféricos, y que allí no había ningún problema. Me pareció muy gracioso cuando me dijo que Yoko había estado hablando a tío Norman de la filosofía Zen.

No había tenido ningún contacto con John desde que se había comprometido con Yoko y fue estupendo poder hablar un rato. Era muy sencillo charlar con él porque era una persona cariñosa e inteligente.

John era un hombre de constitución sólida, pero cuando Harrie le vio se quedó preocupadísima. «Está increíblemente delgado —me dijo después—. Es como el esqueleto del chico que conocíamos.» Harrie era una excelente cocinera y su especialidad era la cena del domingo. Decidió preparar el menú completo para John y Yoko. Se salió de la rutina en su honor; fue una auténtica cena de celebración: pierna de cordero asada, dos tipos de salsa, una de ellas de menta, que cultivaba en el jardín, patatas al horno, verdura y una tarta casera de manzana con crema. Y justo cuando los deliciosos aromas salían de la cocina, Yoko anunció que John y ella ya no comían «ese tipo de cosas», aclarando que seguían una dieta macrobiótica.

La pierna de cordero era, de toda la vida, uno de los platos favoritos de John, y debió sentir grandes tentaciones pero, como Harrie comentó, amaba a Yoko con tanta devoción que habría hecho por ella cualquier sacrificio. Dijo que parecían muy enamorados y que se habían pasado horas hablando amorosamente en el sofá cogidos de la mano. Harrie era demasiado gazmoña y le desagradaba este tipo de intimidades físicas porque las consideraba indecorosas. Si Allen y yo nos hubiéramos comportado así, se habría puesto furiosa.

La verdad es que, cuando Jacqui y yo vivíamos en su casa, lo más cerca de nosotras que se le permitía estar a cualquier chico que lleváramos era a un sillón de distancia. Me sorprende que Harrie fuera tan tolerante con John y Yoko, especialmente después de su luna de miel pública en la cama, que le debió disgustar muchísimo.

En Irlanda, las únicas personas que conocían mi parentesco con John eran los familiares de Allen. Y, como eran muy amables, apenas hicieron comentarios sobre el comportamiento de John y Yoko, excepto la querida abuela, que declaró que debían estar majaretas. ¡Y yo estuve de acuerdo con ella!

Irlanda puso distancia geográfica entre nosotros. Antes habíamos estado más cerca, y no sólo en kilómetros: él estaba con Cynthia, a la que conocíamos. Su relación con Yoko le condujo a un reino diferente y yo seguía sus movimientos, como todo el mundo, por las noticias que daba la televisión. A veces, incluso entonces, tenía la impresión de que seguíamos estando unidos. Otras, le encontraba muy lejano. A veces me alegraba que nadie supiera nada de nuestro parentesco y otras me daba pena porque estaba muy orgullosa de él. A veces me sentía desconcertada y otras, divertida. Me sentía muy feliz por ser una persona anónima cuando les veía públicamente en una cama llena de bolsas y con la prensa mundial, ¡fuera cual fuera la razón que tuvieran para hacerlo! Para mí, el que deambularan desnudos por entre la ropa del establecimiento de Tommy Nutter, en Saville Road, era una locura propia de locos. Y esos locos estaban a la vista del público. En cualquier caso, ¿a quién más le habrían permitido elegir la ropa de esa manera?

Me enteré de todos los detalles de la visita de John y Yoko cuando llevé a Liverpool a mi hijito Nicolás, ese mismo año, para que le conociera la familia. Harrie me dio dos blusas de seda que Yoko se había dejado olvidadas. «Toma, llévatelas —me dijo—. Estoy segura de que Yoko no nos va a pedir que se las devolvamos.» Eran muy pequeñas, de la talla ocho, e incluso a mí me quedaban muy ajustadas. Me sorprendió lo menuda que era. Había visto fotos de Yoko pero no me había dado cuenta de que era tan chiquitina.

Poco después, Allen y yo decidimos irnos de Belfast y trasladarnos a Liverpool. Encontramos un piso en Hope Street, justo enfrente de la catedral anglicana, y habríamos vivido allí durante bastante tiempo si no hubiese sido por Mater, mi tía de Edimburgo, que vino a vernos. Mater insistió en que debíamos tener una casa, sobre todo ahora que esperaba mi segundo hijo. Evidentemente, era mucho más sensato conseguir una hipoteca que pagar un alquiler, así que me dio el depósito para una casa como regalo atrasado por mi veintiún cumpleaños.

Encontramos una casa de cuatro dormitorios en Wallesey, la zona menos elegante del Wirral, enfrente de donde vivían Cynthia y Julian. Mucho después, en 1975, cuando los dos niños mayores ya iban al colegio, volví a dar clases en la escuela Caldy. Allen tenía negocios de venta de comida al por mayor y, por fin, éramos independientes.

Me encantó volver a Merseyside, con nuestros antiguos amigos y, además, me resultaba muy fácil ir a Londres a hacerle una visita a Leila. Posteriormente se trasladó a Manchester.

Leila, que por esas fechas tenía tres hijos, volvió de Alemania en 1968. Había estado trabajando de especialista. Entonces hacía prácticas de anestesista en un hospital de nariz, oído y garganta en Candem Town, en el Norte de Londres. Se mudó a un piso de Los Beatles en Sloane Street. Todos íbamos a visitarla y yo me quedaba temporadas más largas para ayudarla con los niños; al principio, iba desde Belfast y, luego, desde Liverpool. El armario de uno de los dormitorios estaba lleno de ropa de Los Beatles, chaquetas, pantalones, zapatos y abrigos, y me probé muchas de estas prendas. Estaban allí para quien las quisiera. David se llevó algunas cosas. ¿A quién se le iba a ocurrir que el dueño ya no estaba allí? Entonces no teníamos ningún sentimiento de urgencia. Siempre *había* tiempo.

Un día de 1969 iba deambulando por Regent Street mientras los niños de Leila estaban en el colegio. Se me ocurrió que quedaba a tiro de piedra Saville Road, es decir, las oficinas de Apple. Como no había ido nunca, decidí pasarme y ver a John. Era un edificio enorme y blanco, con una inmensa zona de recepción en la que se encontraba una rubia encantadora sentada tras un gran mostrador. Me sonrió, muy amable, cuando me acerque. «Por favor, ¿está John?», le pregunté.

Se le borró la sonrisa de la cara. «Sí, casualmente está —contestó con mucha menos amabilidad de la que parecía derrochar segundos antes—. ¿Quién es usted?»

«Bueno, en realidad soy su hermana», le contesté algo cortada, por su repentina pregunta. Miró lentamente por toda la sala de recepción, como si quisiera asegurarse de que todo el mundo la estaba escuchando, y dijo sarcásticamente: «Lo siento *muchísimo*, pero John Lennon no tiene ninguna hermana». «No, claro que no», repliqué. Me di la vuelta y me encaminé directamente a la puerta. No me apetecía ponerme a discutir con la secretaria de nadie sobre si John era realmente mi hermano o no. Era demasiado estúpido. Cuando después se lo conté a John, me censuró el no haber insistido en que, por lo menos, alguien le comunicara que estaba allí. O bien haber entrado y, sin hablar con ella, haber subido derecha las escaleras hasta que le hubiera encontrado. Cuando lo pienso, supongo que me debí haber comportado con más firmeza. La pobre chica posiblemente había escuchado la misma copla docenas de veces. Pero me quedé tan estupefacta cuando me dijo que yo no existía, que pensé: «Apaga y vámonos».

Mi primo David había ido a Apple a ver a John. Pero como era hombre, debieron pensar que probablemente no era un histérico fan de Los Beatles. Leila, la hermana de David, también había ido. Pero ella lo había tenido más fácil porque era diez años mayor que yo y no estaba dentro del grupo de edad de las fans de Los Beatles. Pero una chica de unos veinte años, como yo, y con el pelo largo les debió dar la impresión de que era una de esas jóvenes que dedicaban su vida a perseguir a John. Después de esto, no volví por allí nunca.

Leila fue invitada en una ocasión, junto con Mimi, a tomar una comida ligera en la sala de juntas de Apple. También ella estaba muy preocupada, lo mismo que Harrie, con el nuevo estilo de vida de John.

«Para ser sincera, apenas tuve ocasión de hablar con él —dijo—. Desde los primeros días en que empezó a cortejar a Yoko, no puedo meter una palabra ni de canto entre los dos. De todas maneras, te puedo decir que se ha puesto horroroso con esa dieta idiota a la que se ha sometido y que tiene pinta de estar enfermo. Si quieres que te diga la verdad, me quedé estupefacta cuando le vi allí sentado, inclinado sobre unas lentejas medio frías y cuatro ridículos granos de arroz.

»Recuerdo que alguien sacó la conversación de la tapa de su nuevo disco, *Two Virgins*, en la que aparecen los dos desnudos, y que Mimi comentó: ''La idea no está mal, pero sois los dos demasiado feos. Si la cosa era poner a alguien desnudo, ¿por qué no elegisteis a alguien atractivo?''

»Fue una tontería, ¿verdad? Era simplemente exhibicionismo infantil, como si hubieran dicho: ''Bueno, ya hemos hecho de todo. ¿Qué podemos hacer ahora? Eso, qué bien, nos quitamos la ropa''.

»Resulta difícil zambullirse en la fama de repente, como le pasó a él, pero yo no tenía tiempo de andar preguntándome: ''¿Qué estará haciendo John? Últimamente no come bien. No debería comportarse así''. En esa época, yo trabajaba por la noche y me encontraba continuamente agotada.

»Otra vez fui a hacerles una visita a Weybridge y tuve una buena conversación con John. Creo que se casaron algunos días después. El muy grosero ni siquiera lo mencionó. Le debía haber dado un buen cachete.

»Después de eso, no tuvimos mucho contacto. Cuando murió mi madre, en 1973, me escribió y sé que se sentía culpable. Porque cuando murió su madre, yo tiré todo lo que tenía en las manos y fui corriendo para estar a su lado. Pero cuando Harrie se estaba muriendo y él no apareció, no miento, ella lo lamentó. Le habría hecho feliz verle durante las últimas semanas. Me dio muchísimas disculpas por teléfono algunos meses después. Dijo que si lo hubiera sabido, se habría acercado.

»Me resultó imposible seguir enfadada con John durante mucho tiempo, especialmente cuando me confesó que en esa época tenía muchos problemas, sobre todo con la bebida. Fue entonces cuando empezó a escribir a casa de nuevo y lo siguió haciendo, con bastante regularidad, hasta su muerte.»

El afecto de John por Yoko hizo que dejara de lado todo lo demás. Durante cierto tiempo, parecía que le absorbía completamente. Esto alteró mucho a los otros Beatles, especialmente cuando Yoko empezó a participar en las sesiones de grabación. Nunca se había permitido a las esposas ni a las novias entrometerse en el dominio sagrado del estudio. Pero John quería que Yoko estuviera con él siempre y en todo lugar. Antes, Los Beatles habían sido un grupo de cuatro y estaban unidos como hermanos. Pasaron a ser cuatro más uno y no funcionaba.

Una vez que Yoko le introdujo en su extraño y maravilloso mundo artístico, John deseaba ampliar su esfera de acción. Le parecía que las limitaciones que impone trabajar en grupo con Los Beatles le restringían mucho. Deseaba separarse y dejar atrás a Los Beatles. Lo primero era su trabajo con Yoko, la única persona que le parecía que armonizaba con él artísticamente hablando.

Terminaba 1969. Era evidente que Los Beatles se iban a separar y la noticia produjo una gran conmoción, no sólo a las fans de todo el mundo, sino también a la familia de John. A mí personalmente no me afectó mucho. Después de todo, era su vida y era suya la decisión de seguir en solitario; a mí no me competía. Evidentemente, sentía curiosidad sobre cómo le iría y a dónde le llevaría esa nueva vida. No necesito decir que yo quería que fuera feliz.

John explicó después la ruptura de Los Beatles de la siguiente manera: «Los Beatles realmente se derrumbaron después de la muerte de Brian Epstein, cuando hicimos el álbum doble *The Beatles.* Si se escuchan cuidadosamente todas las canciones, se observa que canta Paul con un grupo, canta George con un grupo y canto yo con un grupo. Aunque en aquella época me gustó bastante, ahí es donde realmente empezó nuestra separación».

Nunca fue mi papel, ni el de nadie, juzgar lo que John hacía o dejaba de hacer. Junto con otras muchas personas, yo compartía su idealismo y entendía sus sentimientos hacia muchas de las causas de las que fue paladín aunque yo no habría tenido necesariamente la misma reacción. Algunas de sus ideas eran increíbles, pero nacían de creencias sinceras. Es cierto que sus esfuerzos y su compromiso con la causa de la paz en el mundo merecían respeto, ¡a pesar de los métodos! John era un hombre sincero y muy moral. Le movían buenos principios.

Por medio de sus canciones, John se convirtió en una figura muy conocida y con mucho poder. A menudo conseguía más cosas que muchos políticos, pero nunca declaró ser otra cosa que lo que realmente era: un hombre que hacía música y escribía canciones y que sentía una profunda preocupación por la libertad del hombre y estaba siempre dispuesto a ayudar a los oprimidos. Sentía un profundo respeto por la verdad e, hiciera lo que hiciera, nunca habría dejado de ser honesto consigo mismo. Acaso haya sido nuestra educación —la familia siempre protegiéndonos de la verdad por si nos hacía daño— lo que le hizo ser tan resuelto y hacer las cosas sin rodeos. John, Jacqui y yo sufrimos las consecuencias de lo contrario, a pesar de la buena intención de las mentiras.

Su honestidad consigo mismo era parte integral de su talento. Una vez, dijo: «Mi vida es mi arte».

Pensaba que la existencia humana era demasiado importante como para no tomársela en serio. «Si estás sentado en la playa y el agua te llega por los tobillos, siempre habrá quien te diga: ''Hay mucha profundidad, la corriente es muy fuerte, está infestado de tiburones''. Bueno, a lo mejor es una estupidez, pero yo estoy a favor de saltar al agua y aprender a nadar. Es lo único que se puede hacer.»

Camas por la paz, nudismo. La gente empezaba a preguntarse qué es lo que harían después John y Yoko. A John no le importaba lo que pensara la gente. Quería que se sentaran y se dieran cuenta de las cosas, y lo conseguía.

Él mismo dijo: «Todas estas tonterías que Yoko y yo hacemos tienen como resultado que la gente empiece a discutir los temas y que consideren seriamente si hay una alternativa mejor a su forma de vivir».

Los miembros de más edad de la familia no discutían la absurda forma de actuar de John. Por lo que a ellos se refería, era mejor no comentar esas actividades. Incluso los más jóvenes nos sentíamos molestos de que nos pudieran asociar de alguna forma con el extraordinario comportamiento de John.

El propio John empezó a reflexionar sobre sus tácticas tan poco convencionales destinadas a conseguir publicidad para sus causas. «Tengo que admitir que algunas de nuestras actividades políticas de la primera época eran bastante ingenuas —dijo posteriormente—. Pero Yoko, en política, siempre estuvo en vanguardia. Tenía la idea de que se debe utilizar la publicidad que proporciona la prensa para lograr comunicar la idea de la paz. Cualquier excusa era buena, por ejemplo, nuestra boda. También creía que se debe intentar hacer reír a la gente. El problema con Jerry Rubin y Aby Hoffman era que ellos no querían risa, lo único que querían era violencia.

Yo nunca me he comportado violentamente, aunque a veces he sido consciente de que había violencia en mi interior. Soy de naturaleza violenta. Como dice la canción, ''Todo lo que necesitas es amor''. Esta es mi idea política fundamental. Pero he descubierto que tener ideas políticas interfiere con mi música y sigo siendo, antes que nada, músico y no político. Creo que la música no es algo ajeno a la sociedad, sino una necesidad absoluta.»

Sé que una de las grandes preocupaciones de mi hermano, mayor aún que sus compromisos políticos, era su separación de su hijo adolescente Julian.

Dice Leila: «En realidad, no he visto a Julian desde que era un bebé. Sé que John se sentía muy culpable por no estar con él mientras crecía.

»En varias ocasiones John me pidió que fuera a verle, pero yo pensaba: ''¿Qué va a decir Julian?'' Una tía a la que no recuerda y que aparece de repente en su vida cuando tiene ya quince años no significará nada para él. Creo que John debía haber mantenido a Julian y a Sean más unidos a la familia, si quería que los fuéramos a ver. Cometió un gran error cuando pasó por alto ese aspecto. Julian debía haber tenido la oportunidad de conocer a sus tías, tíos y primos. Sin embargo, creo que ahora no significaríamos gran cosa para él. Por lo que he podido deducir de lo que dicen los periódicos, parece que ha conseguido el éxito por méritos propios. Lo único que espero es que no se haga daño a sí mismo. Y me gustaría conocerle algún día».

John estaba muy preocupado porque Julian, que le solía llamar todas las semanas, llevaba tres sin hacerlo. John era básicamente un tipo decente y, por esa causa, el sentimiento de culpa le asaltaba una y otra vez. Otras veces, si Julian no llamaba, se ponía nerviosísimo. Pero en aquella ocasión me pidió que me enterara yo de lo que le pasaba. «¿Puedes pasarte por allí y verle? —me preguntó—. Puede que su madre esté mosqueada.»

La primera vez que me lo pidió, no fui. Pero insistió. Incluso me escribió dos cartas y ese no era el estilo del viejo John. La razón por la que no me apetecía ir era que no había visto a Cynthia en mucho tiempo. Y ponerme de nuevo en contacto con ella podía ser un poco violento. Me caía bien, pero yo era la hermana de John y ella su ex-esposa y, naturalmente, habíamos perdido el contacto. Finalmente, fue Allen quien me convenció para que fuera, diciéndome que era el primer favor que me pedía John. Así que fui a casa de Cynthia, en Hoylake. Ella misma abrió la puerta, claramente sorprendida de verme pero nada azorada, como estaba yo después de tanto tiempo. Nos saludamos, pero me dio la impresión de que no deseaba seguir hablando. Creo que estaba con unos amigos y que no quería entrar en complicadas explicaciones para presentar a su ex-cuñada. Le pregunté si podía ver a Julian, pero me dijo que no estaba en casa. Le dejé el recado de John de que le llamara al Edificio Dakota, en Nueva York. Acaso nos encontremos en otra ocasión y podamos charlar de su padre y de su abuela. Es la última vez que he visto a Cynthia. Estoy segura de que siempre seguirá enamorada de John.

CAPÍTULO 5

REUNIÓN DOLOROSA

Durante toda mi vida he deseado tener una familia y ahora me doy cuenta de que siempre la he tenido.

JOHN en su primera conversación telefónica con JULIA desde Estados Unidos.

Yo sigo siendo yo. Y tú sigues siendo tú. Y todo lo relacionado con el «gran Beatle John» es pura mierda.

JOHN en una carta a su prima LEILA.

He cocido pan en el horno y he cuidado del niño. Pero la gente sigue preguntándome qué más *estoy haciendo. A lo que yo respondo: «¿Te estás quedando conmigo?» Porque, como saben todas las esposas, hacer pan y cuidar de los bebés son tareas que ocupan todo el día. Pero, luego, cuando veía cómo se comían el pan, pensaba: «¡Bueno! ¡Y no me dan un disco de oro, ni me hacen caballero ni* nada!»

JOHN LENNON

Por primera vez en nuestra vida, John y yo dejamos de estar en contacto por completo durante más de cuatro años. Yo estaba casada, tenía dos niños y hacía cosas normales, mientras que la vida de John era todavía más turbulenta que antes. Después de que Los Beatles se separaran, se retiró para llevar a cabo su primer tratamiento terapéutico y luego se trasladó a Estados Unidos y nunca volvió a pisar el país en el que había nacido. Como si se hubiera ido a otro planeta. Lo único que sabíamos de él era lo que leíamos en los periódicos. Parecía que su carrera como cantante en solitario, sus problemas domésticos con Yoko y sus apuros para conseguir la Tarjeta Verde le mantenían preocupadísimo allá en Nueva York. Era evidente que la realidad de la familia y de Merseyside estaban muy lejos de su imaginación.

A pesar de su silencio, no estaba ausente de mis pensamientos. Sabía que volvería a nosotros y que no había desaparecido de nuestras vidas para siempre. Lo mismo sucedía en otras familias; un hermano se marchaba a algún lugar como Australia y se liaba tanto con la nueva vida que se le olvidaba escribir a casa. Todos sabían que algún día le volverían a ver. Yo tenía tiempo para esperar.

En 1975, Allen, mi marido, y yo vivíamos en Wallasey, en el Wirral. Una noche, Mater, mi tía de Escocia, me llamó por teléfono y me dijo que me reservaba una sorpresa. «¿Quieres hablar con John, Ju?»

«¿Qué John?», pregunté, porque no se me ocurría que pudiera ser mi hermano. Eso demuestra el tiempo que había pasado. «Tu hermano John, *tu* John», replicó Mater con impaciencia. Y continuó diciéndome que quería saber algo de «las niñas» y que quería que ella le dijera cómo se podía poner en contacto con nosotras.

«Dice que quiere hacer lo que sea para congraciarse contigo, Ju», me dijo.

No entendí qué quería decir. John no tenía que hacer nada. Él vivía su vida y yo la mía, y nada más.

«Dice que últimamente ha estado pensando mucho sobre tu madre y que quiere hacer algo por Jacqui y por ti», dijo. Le pregunté qué clase de «algo». «Bueno, ya sabes que John podría ayudar a Allen en sus negocios. Si quieres algo, no te preocupe pedírselo.» Estaba muy contenta de que John deseara que nos pusiéramos en contacto de nuevo. Pero lo único que necesitaba de él era su amor. Mi marido tenía un trabajo seguro y podía cuidar perfectamente de mí y de los niños. Si hubiera estado en la miseria, sin duda habría intentado ponerme en contacto con él. Sé que me habría ayudado sin hacer ni una pregunta. Después de todo, tenía un hermano millonario. Habría sido tonta si, de haberlo necesitado, no se lo hubiera pedido. Pero no era así.

Nunca he pensado seriamente en lo que supone ser millonario. Sé qué significa no estar nunca sin dinero, tener dinero suficiente y dinero sobrante, pero no el tener una fuente inagotable de dinero. A veces he llegado a pensar que tengo fondos ilimitados sólo porque tengo los ingresos de un sueldo que llega con regularidad y con esta idea me puedo pasar en los gastos. Luego, evidentemente, se impone lo cotidiano y se empieza de nuevo. Se puede decir que los horizontes financieramente ilimitados no pertenecen a mi mundo. Por lo que se refiere a John y a su dinero, yo nunca pensé que nos debiera nada, así que cuando nos mandaba dinero de regalo era una completa sorpresa.

A decir verdad, acaso nos hubiéramos puesto en contacto mucho antes si no hubiera sido por su riqueza. El aura de fama y abundancia que le rodeaba a veces hacía difícil mantener con él cualquier tipo de relación. Por lo que a mí se refiere, su situación financiera sólo servía para mantenerle fuera del alcance de su familia. Como si existiera una barrera entre la grandeza de su existencia y la nuestra, bastante vulgar, de Liverpool. Comparado con nosotros, con todo su dinero, era como si mi hermano viviera en la Vía Láctea.

Mater me dio el número de teléfono de John en Nueva York, la «línea privada», y yo supuse que me pondría directamente en contacto con él en su apartamento del Edificio Dakota, que daba al Oeste de Central Park. Subrayó que no se lo debía dar a nadie en ninguna circunstancia. Como se puede imaginar, John siempre se esforzaba en mantener en secreto su número de teléfono.

Guardé el número en un cajón de mi escritorio y lo dejé allí unos días, mientras meditaba sobre muchas cosas. Tenía grandes deseos de hablar con John y, sin embargo, no quería que pensara que le llamaba porque quería algo. La gente siempre iba detrás de él pidiéndole cosas y estoy segura de que alguna vez se debió preguntar si le gustaría a alguien por sí mismo. Supongo que este problema se les plantea a muchas personas ridículamente ricas. Finalmente, llegué a la conclusión de que John me conocía lo suficientemente bien como para saber que yo no era así. Cinco días después, a media noche, hora que consideré razonable para John en Nueva York, marqué el número que me había dado Mater. Pero no pude comunicar. Se oían muchos ruidos y la voz de una muchacha americana que decía: «¿Dígame?» Y eso fue todo. Lo volví a intentar a la noche siguiente y me contestó la misma voz. «¿Puedo hablar con John, por favor?», le pregunté. «John ¿qué?», respondió. «John Lennon» —le contesté pensando cómo era posible que en su propia casa no supieran qué John era—. Por favor, dígale que le llama su hermana desde Inglaterra.»

«Y, ¿cómo ha conseguido usted el número?», me intimó.

«Me lo ha dado nuestra tía de Escocia», le contesté. Se produjo una pausa y me dijo que esperara.

Al cabo de un momento volvió con más preguntas. ¿Cuál era mi nombre de casada? ¿Y mi nombre de soltera? ¿El nombre de mi padre? Era ridículo. Pero no se sintió satisfecha aún cuando contesté a todo. Me dijo de nuevo que esperara. Cuando volvió, lo que quería saber era el segundo nombre de mi padre. «Albert», le respondí casi a gritos. Ya era demasiado. «Mire, vamos a dejarlo porque, la verdad...», había empezado a decirle. De repente, la voz de John. «¡No cuelgues! —vociferó— ¡Soy yo! No te imaginas la cantidad de hermanas que tengo.»

«Ha sido como intentar que me pasaran con Enrique VIII». «No —dijo con una risilla—. Probablemente eso habría sido más fácil.»

Fue un reencuentro maravilloso. No importaba que hubiera sido por teléfono. Se oía tan bien que era como si estuviera en su Mereyside natal, hablando conmigo desde la casa de al lado. Parecía imposible que estuviera a 6.000 millas, en otro país, en una casa que yo no conocía, en un mundo completamente distinto del mío. Entonces, con veintiocho años, ya era lo suficientemente madura para que desapareciera la barrera de siete años que nos había separado de niños y podíamos compartir nuestros sentimientos más íntimos como nunca lo habíamos hecho antes. Aunque nuestras vidas eran muy diferentes, seguíamos siendo hermanos y el tiempo sólo había cambiado nuestra relación para que ahora fuese mejor.

Le dije que le había echado mucho de menos. «¿Dónde has estado, John?» Se deshizo en disculpas por haber perdido el contacto conmigo. «En realidad, no tengo excusa, Ju —me dijo—. Lo siento. Hemos perdido mucho tiempo que podíamos haber pasado juntos.»

Y le contesté: «Muy bien, ven a tomar el té y te haré una rica gelatina», que fue mi manera de decirle que no había nada que perdonar. Me dijo que llevaba meses buscándonos a Jacqui y a mí y que en estos años había pensado mucho en nosotras pero que no sabía dónde encontrarnos ya que las dos nos habíamos cambiado de casa. Dijo que había cometido un error, pero nosotras también. Nos había dejado varios recados pero, por alguna razón, no los habíamos recibido hasta que me llamó Mater. Todos teníamos distintas razones para querer a John. Aparte de lo que había llegado a ser, como dice Leila, siempre fue uno de los varones más encantadores de la familia. No olvidemos que las mujeres eran extraordinarias y había una especie de envidia familiar. El resultado fue que tardó en ponerse en contacto con nosotros más de lo que hubiera debido.

Después de los saludos iniciales, quedó patente su necesidad de que se produjera rápidamente un acercamiento. No tenía nada que ver con las riquezas que poseía ni con la necesidad de tranquilizar su conciencia, cosa que podía haber hecho con un regalo de millonario, como había sugerido Mater. Necesitaba hablar sobre nuestra madre, cualquier cosa, todo lo que pudiéramos recordar.

Jacqui y yo éramos las dos únicas personas del mundo que podíamos compartir sus sentimientos hacia ella y por eso tenía que encontrarnos. Sólo nosotros tres sabíamos, como hijos suyos, lo que había significado su desaparición. Ni siquiera con Allen he hablado de mi madre de la forma en que hablé con John aquella noche. Cuando es buena, la relación entre hermanos es un vínculo muy fuerte.

Durante muchos años me había sido imposible incluso mencionar el nombre de mi madre delante de alguien que no fuera Jacqui. El trauma que me produjo su muerte fue muy profundo. Había aprendido a empujar este recuerdo al fondo de mi mente, alejado de los pensamientos conscientes, porque resultaba demasiado doloroso. Jacqui había sido mi válvula de escape de vez en cuando. John no había tenido a Jacqui, ni a mí, y buscó alivio en unas sesiones de terapia con el psiquiatra americano Arthur Janov, cuyo tratamiento tenía como objetivo liberar al subconsciente de experiencias desdichadas que hubieran tenido lugar en los primeros años de la vida. Pero nuestra conversación también fue terapéutica y tuve la sensación de que, para los dos, habían desaparecido muchas telarañas emocionales. Habían pasado diecisiete años y estábamos empezando a resignarnos con su muerte. Para mí, fue como abrir lentamente el escape de una válvula.

Al percibir el cariño y la emoción en la voz de John, pensé que éramos muy afortunados por tenernos el uno al otro. Él era una buena persona que se preocupaba por mí y por mis sentimientos, lo mismo que yo por él. Era como si nunca nos hubiéramos separado desde el horrible día en que ella murió.

«Es una puñetera vergüenza que no esté con nosotros —dijo John con la voz temblando de ira a través de las lágrimas—. Todavía me obsesiona. No hay ni un puñetero día en que no piense en ella una vez por lo menos. *Odio* que esté muerta.»

No hablamos para nada de su vida en Estados Unidos. No era una llamada del estilo de hice-esto, hice-lo-otro. Hablamos de sentimientos y de la familia, de las cosas más importantes en la vida de cualquier persona, sea quien sea. Me pareció que John estaba redescubriendo sus raíces familiares. Era un hombre muy decente y con ideas muy tradicionales sobre el hogar y la familia. Su creatividad buscaba la libertad a través de su comportamiento extravagante pero básicamente seguía siendo el buen ciudadano que había sido siempre.

Me preguntó por el niñito de Jacqui, John, por los míos, Nicky y Sara, y por Allen, al que no conocía. Dijo que quería que fuéramos a verle a Nueva York. «Por favor, venid pronto. Lo único que tenéis que hacer es avisarme. Lo arreglaremos todo. Yo iría a Liverpool si pudiera pero si me voy no me dejarán volver. Estoy atado hasta que consiga la Tarjeta Verde.»

Pidió noticias de nuestros primos Leila, David, Stan y Michael, los miembros de la familia que pertenecían a su generación. Me pidió que les dijera que se pondría en contacto con ellos muy pronto. Fue como si los recuerdos se desencadenaran después de haber hablado de nuestra madre, como si quisiera asegurar su futuro en el seno de su familia.

«¿Has cambiado? —me preguntó—. ¿Sigues llevando el pelo largo? ¿Tus hijos tienen aspecto de irlandeses o se parecen a ti?» Se quedó fascinado cuando le dije que mi niño mayor tenía un precioso cabello castaño rojizo, exactamente igual que nuestra madre. Me dijo que le encantaría verlo. La conversación siempre volvía a mamá, que es como la habíamos llamado siempre, incluso John cuando era adolescente, y lo seguíamos haciendo. Me dijo que estaba seguro de que echaba de menos que no estuviera allí ahora que tenía niños. Sí, entonces y ahora. Cada vez más a medida que pasa el tiempo. Sé que habría sido una abuela maravillosa.

«¡Dios mío, yo sí que metía ruido! —dijo John. Cómo me habría gustado que hubiera podido ver todo el espectáculo de Los Beatles.»

Y tenía razón. Habría estado superdivertida de verle llegar al éxito. Le habría encantado todo el barullo, ir a los estrenos o ver a la reina poner la Orden del Imperio Británico en el pecho de su hijo. De lo que no estoy segura es de que se hubiera sentido complacida cuando la devolvió, en noviembre de 1969.

John me recordó el traje de fiesta favorito de mamá, el de color rosa que tenía la falda cuajada de estrellas de oro y plata. «Estaba guapísima», me dijo.

«Papá siempre dijo que era la mujer más hermosa del mundo», le contesté, y le conté que mi padre había conservado durante muchos años ese vestido colgado en su armario. Hacía mucho tiempo que había perdido el perfume de nuestra madre, pero era como un compendio de su personalidad burbujeante y divertida, por eso lo había conservado durante tanto tiempo tras su muerte. Me sentaba y acariciaba la tela durante horas. Era la persona más maravillosa del mundo. Le conté a John que en Liverpool sus amigos seguían hablando de ella a pesar de que habían transcurrido tantos años. Fue una mujer notable y se merecía que la echaran de menos todos los días, aun después de tanto tiempo. No hay que extrañarse de que John fuera su hijo.

Nosotros dos la seguíamos añorando y el hablar de ella con tanta sinceridad fue bastante inquietante. Pero también nos resultó beneficioso poder sacar de nuestro

Izquierda: John y Julian firmando autógrafos en Kenwood, 1967.

Derecha: Retrato de familia de John, Cynthia y Julian hecho por Ringo Starr.

Izquierda: Cynthia con Julian y un compañero del colegio.

Arriba: Jacqui y yo en Irlanda, en 1967. Le envié a John una copia de esta foto en 1975 y ahora se encuentra, junto con otras fotos de familia, sobre su famoso piano blanco en Dakota.

Derecha: Una de las fotos mías que más me gusta.

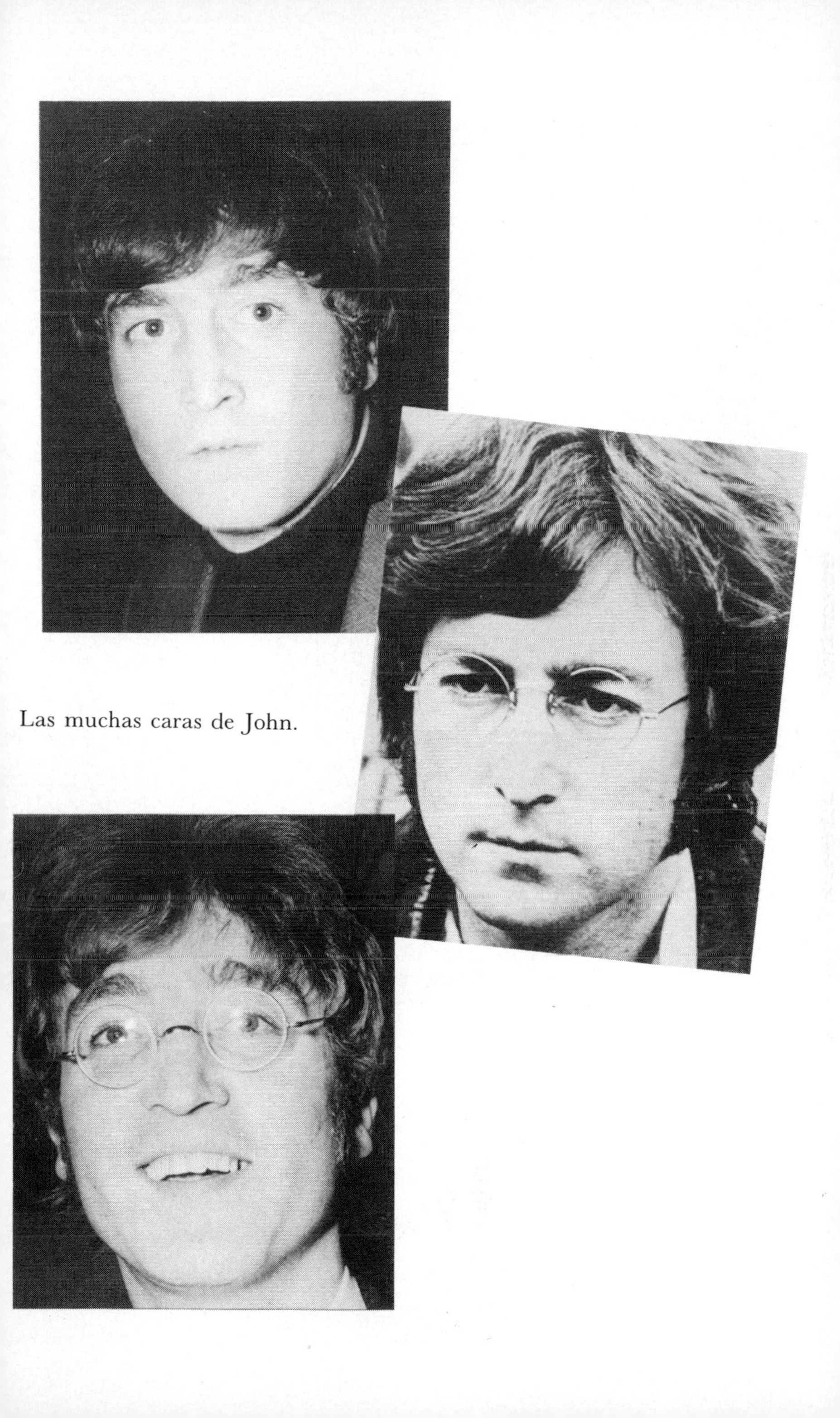

Las muchas caras de John.

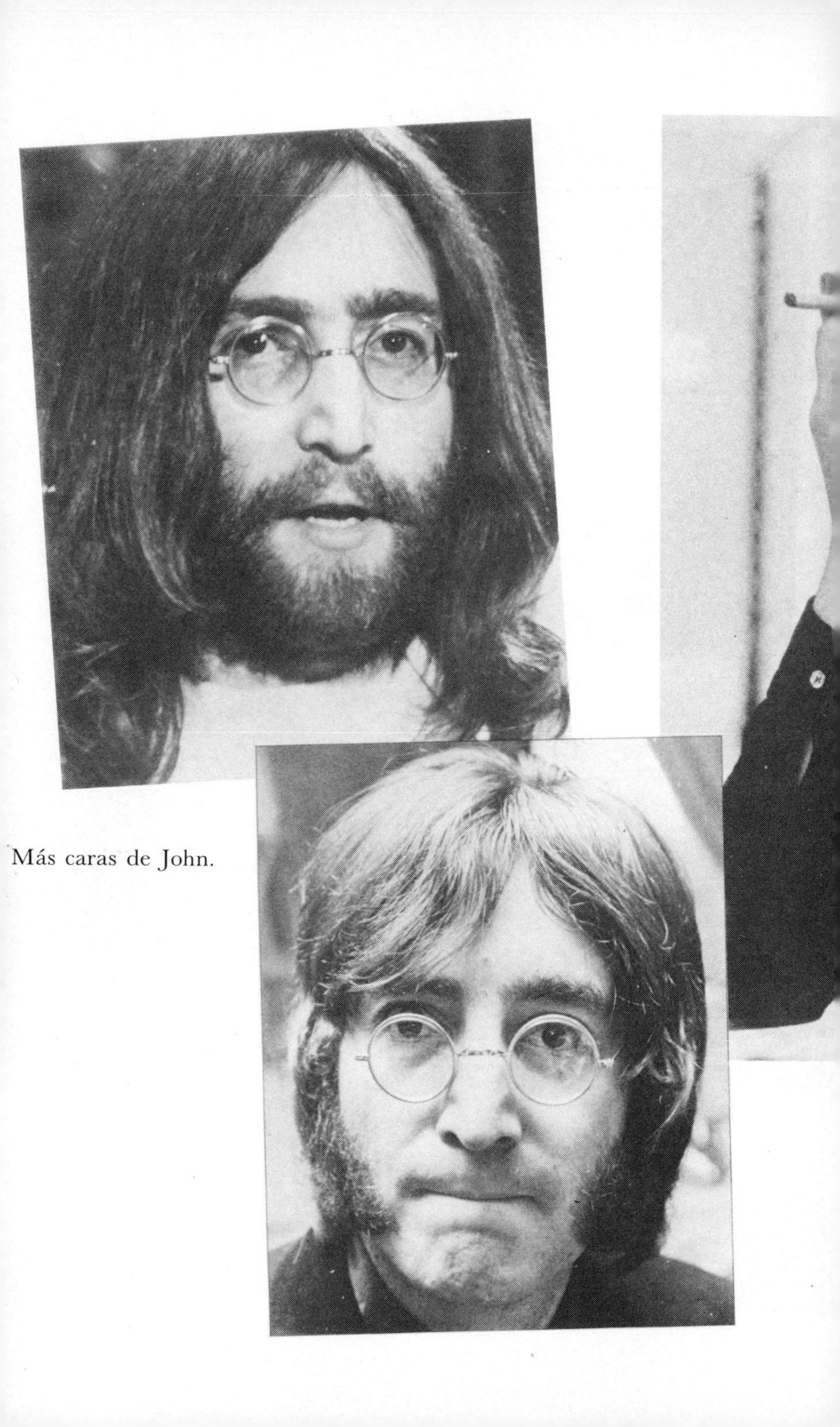

Más caras de John.

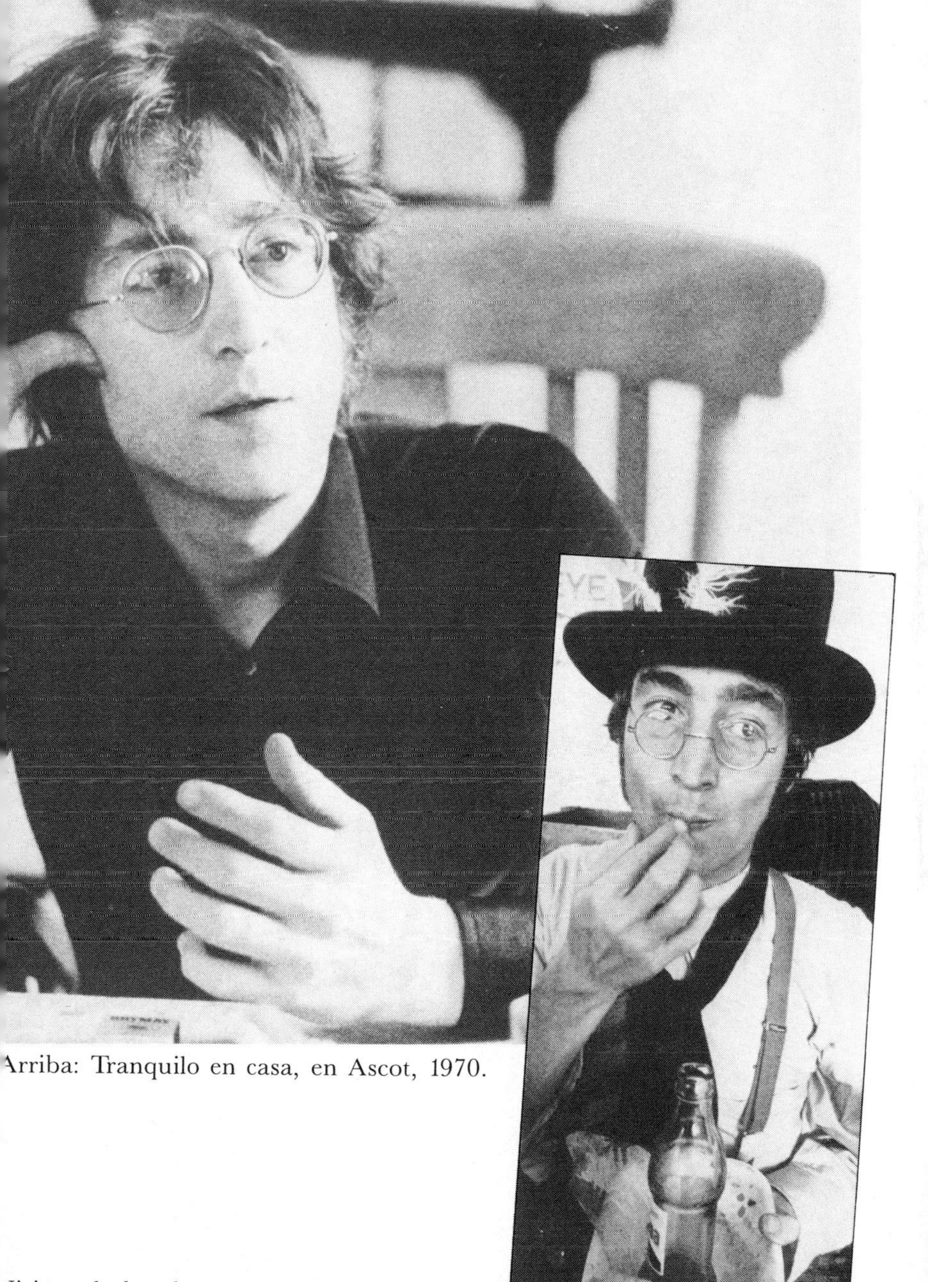

Arriba: Tranquilo en casa, en Ascot, 1970.

Visita a la hamburguesería local durante el rodaje de *Magical Mystery Tour,* en 1967.

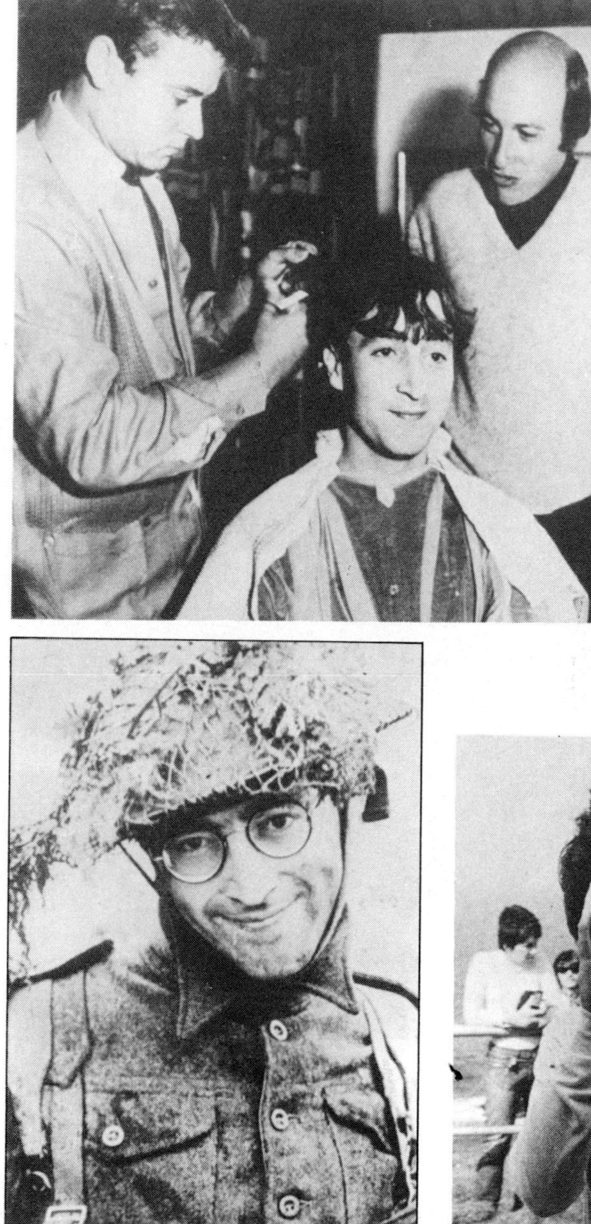

Corto detrás y por los lados. John durante el rodaje de *Cómo gané la guerra,* en Hannover, Alemania Occidental, 1966.

Abajo a la izquierda: El mosquetero Gripweed rodando exteriores en Almería, España, en la película antibélica de Richard Lester *Cómo gané la guerra,* 1966.

Abajo a la derecha: John, el director, durante el rodaje de la obra navideña extravagante y fantástica *Magical Mystery Tour,* que tuvo una crítica desastrosa, en 1967.

ohn «casando» a Georgie Fame y Carmen Jiminez en la fiesta de su veintiún umpleaños, en 1967. Ringo iba vestido de árabe y Brian Epstein de payaso.

os Beatles posan en Tittenhurst Park, la inmensa finca de John de 72 acres, 1 1969. Sería una de sus últimas sesiones de fotos como grupo.

Los Beatles se unen al Maharishi Mahesh Yogi en su Centro de Meditación de Bangor, Norte de Gales, en el verano de 1967.

Paul, sin bigote, en una reunión para celebrar el lanzamiento de *Sargent Pepper's Lon[ely] Hearts Club Band* e[n] 1967.

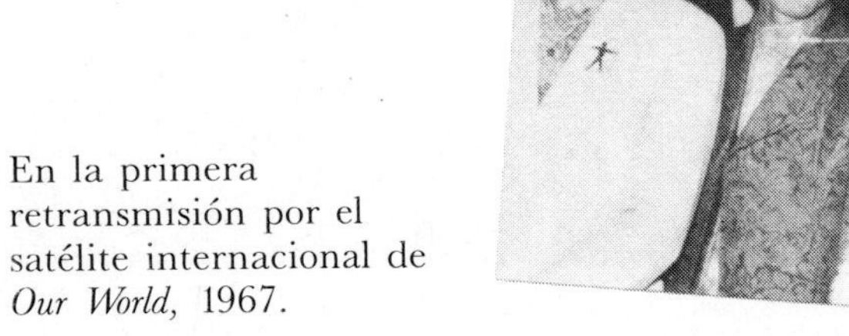

En la primera retransmisión por el satélite internacional de *Our World,* 1967.

pecho todos aquellos problemas psicológicos y ser capaces de reír y llorar a la vez cuando recordábamos aquellos momentos de alegría. Los dos estábamos de acuerdo en que no podíamos creer lo que había sucedido, y eso nos proporcionó mucho alivio. Y luego lloramos muchísimo.

John se había enterado de la muerte de mi padre. «Me puse muy triste cuando me enteré. Pero actué como un cabrón desconsiderado por no acercarme a veros a Jacqui y a ti —dijo—. Siempre han escrito un montón de mierda sobre él y yo, pero yo le apreciaba mucho. Tú lo sabes, Ju, ¿verdad? Y todavía tenéis a Nana, ¿no es así?»

A nuestra abuela, la madre de mi padre, la llamábamos Nana. Y tuve que decirle a John que también había muerto.

«¡Jesús! Parece que perdemos a todo el mundo, ¿verdad?», dijo.

Quería saberlo todo sobre mi propia familia y dónde vivíamos en ese momento. Cuando le dije que teníamos una casa en Wallasey, en la costa este del Wirral, me dijo: «Pero ésa es la parte piojosa. Os debéis trasladar a la zona buena». «Ni lo pienses», le contesté. A continuación sugirió que nos compráramos una granja en el Norte de Gales. De pequeños habíamos ido a esa parte del país a pasar las vacaciones a una casa de campo que pertenecía a unos parientes de mi padre. A John siempre le gustó el campo. También le gustaba mucho Escocia; allí íbamos los veranos a casa de Mater y tío Bert. Bert todavía tenía la granja de las Highlands donde se había criado. Estaba en la parte norte de Escocia, en el pueblo de Durness, frente al Océano Atlántico. Es una de las partes de Gran Bretaña más bellas y abandonadas. John hablaba de aquello en términos tan entusiastas que Paul

McCartney se compró una granja en Escocia sin haber ido antes. Una vez se puso en venta una hermosa finca en Sutherland, uno de los condados escoceses más encantadores. Mi primo David me lo comunicó y le envió a John el anuncio de *The Times* que informaba sobre la venta, medio en broma, digo yo. No creo que John hiciera nada sobre el particular, porque nunca hemos tenido noticias de ello.

Pero la idea de una granja galesa realmente le pareció muy tentadora.

«Busca una y me quedaré allí», me dijo.

Bien, yo estaba muy contenta con la casa que teníamos en Wallasey y había mucho sitio si quería venir a quedarse con nosotros. Si creía que lo de la granja era una buena idea, ¿por qué no me regalaba una?

«No seas tonta —contestó—. No tengo nada de dinero. Te compraré una casa de la empresa.»

Supongo que el dinero de John estaba inmovilizado en la empresa que poseían Yoko y él por causa de los impuestos, pero lo que sugería no me agradaba lo más mínimo. Yo soy una persona demasiado independiente como para desear ningún compromiso. Mi casa era para mis hijos y nosotros teníamos que ser los dueños, no debía pertenecer a ninguna empresa. De hecho, ninguna de las casas que John compró para miembros de la familia estaban a sus nombres. Eran dos, la casa de Mimi, en Bournemouth, y la casa que John compró para Harrie, la tía que se hizo cargo de Jacqui y de mí, en Woolton, y en la que sigue viviendo tío Norman. ¿Quién puede predecir lo que sucederá en el futuro? Allen y yo necesitamos para nuestra familia una seguridad que de ese modo no tendríamos.

Nuestra conversación duró, por lo menos, cuatro horas. También quería hablar con Jacqui y le prometí que se lo comunicaría y que la traería a mi casa de Liverpool ya que ella no tenía teléfono. Seguimos hablando. Ni siquiera pensé en lo que iba a costar la conferencia hasta que, casi al final, John se dio cuenta de repente de que había sido yo quien había llamado.

«La próxima vez que me llames, hazlo a cobro revertido», me dijo utilizando la expresión americana. Yo no le entendí.

«¿Cómo? ¿Qué llame a Colette?», le contesté preguntándome quién sería esa mujer. Mi experiencia sobre Estados Unidos y los términos que emplean es muy limitada.

«Ya sabes, boba, que lo pago yo», me dijo.

«¡Oye, a mí me hablas en inglés!», le reñí.

Cuando llegó la factura del teléfono, era impresionante. Aprendí a llamar a «Colette».

Los días siguientes pensé mucho en John. A finales de semana llegó una carta, lo cual quería decir que se había sentado a escribirme casi inmediatamente después de nuestra conversación. Volvía a tocar todos los temas que habíamos comentado por teléfono y decía que le habían recordado otras muchas cosas. Yoko estaba de nuevo en el hospital y escribía que tenía la impresión que era él quien estaba teniendo al «jodido niño» y que estaba impaciente por que naciera. «No olvides decirle a Jacqui que me llame», me recordaba una vez más. Y luego firmaba: «Tu hermano John, tío de tus hijos». Como si quisiera reafirmar sus lazos familiares asegurándose de que la sobrina y los dos sobrinos que no conocía supieran que estaba orgulloso de su papel de tío. Mis hijos también eran parte de las raíces que Jonh estaba buscando. Fue la primera de las muchas y encantadoras cartas que me envió, todas escritas con su IBM.

Las cartas que recibimos todos nosotros a mediados de la década de los setenta nos proporcionan una explicación de lo que era su vida y cuáles eran sus pensamientos en esa época. Lamento no haber conservado las mías con más cuidado; algunas las tiré después de leerlas y contestarlas y otras las metí en un cajón. Desde entonces, me he mudado varias veces de casa y se han perdido varias cosas, entre ellas algunas de esas cartas. Leila guardó todas las suyas con la intención de dárselas a sus hijos para que se hicieran una idea de cómo había sido su primo John (aunque, finalmente, su hija las vendió). Puede parecer raro o, al menos, curioso que no las guardara mejor, pero ni se me pasó por la cabeza que pudiera desaparecer el que me las enviaba. No consideraba que fueran como los primeros garabatos y dibujos que hacen los niños y que, como tantas madres, todavía conservo. Después de todo, solamente eran notas personales de mi hermano y no, por lo que a mí se refiere, recuerdos históricos de Los Beatles o inspirados escritos del líder cultural de una generación que me habrían reportado miles de libras en Sotheby's.

Después de la primera llamada, John y yo hablábamos por lo menos una vez al mes; o bien llamaba él o, si no, llamaba yo a «Colette». El tema de la conversación siempre era el mismo: la familia y, especialmente, mamá. John no paraba de hablar de ella y de revivir su infancia. Nos deleitábamos en los recuerdos, los días felices, las risas, el humor tonto, lo cual siempre nos llevaba al mismo punto: la tragedia, lo absurdo de su muerte y lo que la necesitábamos. Decía una y otra vez que la echaba mucho de menos. Me dijo que le encantaba que me hubieran puesto Julia. Pensé poner este nombre a mi hija, pero David se me adelantó y se lo puso él a la suya que había nacido un año antes. Sin embargo, todavía me acongojo cuando escucho la canción *Julia* del *Álbum Blanco* de Los Beatles. Salió poco después de que Allen y yo nos casáramos y, para mí, supone unas asociaciones mentales muy fuertes.

Incluso ahora, a los cuarenta años, echo mucho de menos a mamá, lo mismo que cuando tenía doce. Es demoledor que tu madre desaparezca de tu vida; y la forma tan extraña que tuvo la familia de comunicarnos su muerte a Jacqui y a mí dejó una especie de vacío que nunca se llenará. Parece como si tus emociones se quedaran suspendidas en el aire para el resto de tu vida. A veces me siento desesperada y supongo que a John le pasaba lo mismo. Todos los días pienso en ella y a veces me sorprendo a mí misma hablando con ella. Algunas personas pueden pensar que estoy loca o que sigo muy apegada a ella o las dos cosas, pero su recuerdo es todavía muy vivo. Si tengo un problema, le pregunto: «¿Qué debo hacer? Ayúdame, mamá».

John era muy consciente de que la familia que le quedaba estaba viva y bien, y que todos estábamos deseando verle. Hablaba de volver a Inglaterra. Había ganado millones pero eso no tenía ningún valor. Lo que él quería no se podía comprar con dinero: el cálido consuelo de una gran familia a su alrededor. «Deseaba tener una familia y no me daba cuenta de que ya la tenía», me dijo.

«Bueno, aquí estamos», le respondí.

Aunque añoraba mucho a su familia y Liverpool, John no quería establecerse aquí permanentemente. Le encantaba Nueva York, le encantaban los Estados Unidos y quería vivir allí. «Es un país fantástico —me dijo—. Cuando vengas, ya te darás cuenta de lo que quiero decir. Todo sucede en Estados Unidos.»

Como todos sabían, John intentaba conseguir la Tarjeta Verde que le permitiría vivir en Estados Unidos y entrar y salir del país a su antojo. «No voy a salir de este maldito país hasta que no esté seguro de que puedo volver —me explicó durante una de nuestras charlas por teléfono—. Si salgo antes de tener la Tarjeta Verde, no me dejarán regresar. Me tienen atrapado como a una rata.» Tenía a los mejores abogados trabajando en su caso y le deprimía que le pusieran tantas pegas a él, que amaba tanto el país. Tenía la sensación de que no le era grato al gobierno de los Estados Unidos y utilizaban como excusa lo que él llamaba «un par de piojosos gramos de hash» para darle la patada.

Después me enteré de que creía que su teléfono estaba pinchado. Por lo visto, alguien le había dado un número y si llamabas y estaba comunicando, eso quería decir que el teléfono desde el que se había hecho la llamada estaba intervenido. Llamó un día desde su apartamento y, efectivamente, comunicaba. No me comentó sus sospechas. Y me preguntó: si había alguien escuchando, ¿qué pensaría de nuestras conversaciones?

Después del nacimiento de Sean, el 9 de octubre de 1975, John tenía tanto que hacer en su papel de papá que no me llamó, y no tuve noticias de él hasta unas semanas después. Esperaba que la tarjeta que le había enviado para felicitarle por su cumpleaños hubiera llegado a tiempo. Llegó el mismo día que nació Sean, es decir, exactamente 35 años después del nacimiento de John. Cuando por fin hablamos me dijo que estaba supercontento. Había tomado conscientemente la decisión de ocuparse del cuidado de su hijo hasta que tuviera cinco años y que Yoko se haría cargo de la oficina y dirigiría los negocios de la familia. Dijo que le encantaba el niño y hablaba de él como lo podría haber hecho una madre.

John había llegado a una edad en la que podía apreciar la importancia de la familia. Sean representaba su inmortalidad. Con John a su lado para guiarle durante los primeros años de su vida, sería una astilla de su mismo palo y el nombre de Lennon perduraría. John era, esencialmente, un hombre de familia. Se había criado en un núcleo familiar muy unido y le habían colmado de cariño. En un momento dado había dejado de tener familia, en parte a causa de su vida de Beatle, y ahora deseaba empezar de nuevo. No se puede describir el entusiasmo que sentía por la llegada de Sean. Sean representaba la nueva vida de John y yo estaba encantada de que, a pesar de su fama y su fortuna, John fuera capaz de alcanzar tanta felicidad en su vida personal cuidando a Sean y disfrutando de su infancia. Así empezó a desmoronarse la antigua imagen pública que a veces había sido casi la de «enemigo público número uno».

Charlaba conmigo durante horas y horas, me contaba lo que significaba ser padre de nuevo y decía tener la esperanza de hacerlo bien en esta ocasión. Se sentía orgulloso cuando hablaba de noches en blanco y de horarios de comidas, de la primera sonrisa de Sean y de lo hermoso que era verle crecer. Siempre se elogiaba muchísimo y me decía que yo no tenía ni idea de lo embobado que se quedaba mirando al niño.

«Ya conozco ese sitio», me dijo, y nos empezamos a reír cuando se dio cuenta de que se sentía en lo más alto de lo más alto. Le encantaba sacar a Sean en su cochecito y pasear por Central Park. Su hijo le llenaba de orgullo. A causa de las giras de Los Beatles, se había perdido totalmente los primeros años de Julian. Esta experiencia le resultaba totalmente nueva y no quería que se le escapara ni un solo detalle del desarrollo de Sean. Hacía de todo; todas las cosas que no había hecho por Julian porque estaba ausente.

No le había permitido a Cynthia que contratara una niñera para Julian. Sostenía que los primeros cinco años de la vida son los que más importancia tienen después y que, en consecuencia, uno de los padres tenía que responsabilizarse del niño en ese período crucial. John le levantaba por las mañanas, le vestía y le daba de desayunar, le daba de comer y estaba siempre por la casa para que jugaran juntos. Cuando no estaba ocupado con Sean, leía. Los libros seguían siendo su gran pasión. No había leído tanto desde sus épocas de colegial, cuando se hacía un ovillo en su cama de Mendips y se perdía en los mundos de fantasía de *Los viajes de Gulliver* o *Alicia en el país de las maravillas*.

Creo que John quería hacer por Sean lo que no había hecho por Julian. «Lo jodí todo —me dijo en una ocasión—. Y a pesar de todo, es un chaval asombroso. Pero Sean va a contar con mi atención desde el principio.»

Leila comentaba, tan directa como siempre: «Espero que John le dé a este niño algo más que dinero y sus genes».

John tenía todo el tiempo del mundo para dedicárselo a Sean, pero eso sólo servía para que cada vez se sintiese más culpable por la forma en que había tratado a Julian. Me dijo que había decidido que lo que pasó con Julian no se iba a volver a repetir. Se volcó en cuidar a Sean y le dedicó, incondicionalmente, todo su tiempo. A través de Sean, John volvió a nacer como hombre de familia. Buscaba una identidad y la encontró por medio del niño. Empezó a pedir cosas a todo el mundo: fotos, recuerdos de familia, todo lo que le recordaba a su infancia y a Liverpool. Quería la porcelana antigua de la familia que Mimi tenía en Mendips y el reloj del abuelo, que también estaba allí, en el recibidor. Tenía una inscripción en la esfera con el nombre de tío George: George Toogood Smith. Cuando éramos pequeños, el segundo nombre de tío George nos daba mucha risa. Mimi empaquetó la porcelana y el reloj y se los envió a John a

Nueva York. Quería reunir estos recuerdos de familia para Sean, como presentación de la familia que tenía al otro lado del Atlántico. Una vez que reafirmó sus raíces en el seno de la familia que pensó que había perdido, John quiso asegurarse de que Sean nunca pondría en duda su herencia.

Una de las noches que estábamos hablando por teléfono le dije que acababa de mirar una foto preciosa de mamá, embarazada de Jacqui, en el jardín de Nanny. Allen y yo éramos muy aficionados a la fotografía y siempre hacíamos las copias en casa. Allen había encontrado este antiguo negativo de mamá y había hecho una copia de 20×16. Tuve que confesarle a John que él también estaba en la foto pero que le había recortado porque sólo quería tener el retrato de mamá. Me la pidió inmediatamente.

Me dijo que *tenía* que poseer esa foto. ¿Qué otras fotos tenía? ¿Se las podía enviar inmediatamente?

Cuando John se fue a Estados Unidos, se llevó fotos de la familia. Así que no entendía por qué estaba tan desesperado por tener más. Dijo que las había entregado a distintos periódicos y revistas y que no se las habían devuelto. Sentí el deseo de que viera todas las fotos de mamá y del resto de la familia e, imprudentemente, arranqué de las paredes gran parte de nuestra colección y se las envié. Yoko me escribió una carta en nombre de John dándome las gracias.

Cuando empezó a dedicarse a la vida doméstica, John se aventuró en la cocina. Cocinar y hacer asados, cosas que no había hecho en su vida. «¿Cómo haces tú el cordero?», me preguntaba por teléfono. Evidentemente, había abandonado la dieta macrobiótica. Describíamos los desastres y cotilleábamos sobre nuestras habilidades culinarias como si fuéramos dos hacendosas amas de casa intercambiando recetas por encima de la valla del jardín. John dijo que era muy bueno haciendo salsas y me dio varios consejos. No me acuerdo de cuáles eran, pero a mí me siguen quedando llenas de grumos. También me contó con todo lujo de detalles cómo había cocido en el horno su primera barra de pan.

Estaba tan contento con el resultado final, que hasta le había hecho una foto con la Polaroid. El único problema es que, cuando intentó cortarlo, no pudo. El cuchillo se dobló. Le sugerí que pusiera unas tabletas de vitamina C en la masa. Luego le relaté mi primer y único intento de hacer bollos y que, al final, Allen y yo terminamos comiendo una especie de grumos duros como la piedra. Ni él ni yo habíamos cocinado nunca en casa.

John me invitó a ir a Estados Unidos. «Tienes que venir a Nueva York —me decía una y otra vez—. Tienes que llegar a conocer la ciudad como lo hicimos Yoko y yo, paseando por las calles. Es la única forma de ver Nueva York.»

Sin embargo, el viaje no llegó a hacerse. Los niños iban al colegio, yo estaba dando clase y las vacaciones siempre se invertían en viajes a Francia y en visitas a la familia de Irlanda. Ni John ni yo lo planificamos, aunque los dos lo deseábamos. Si le pedías cualquier cosa a John, podías tener la seguridad de que era tuya. Si le hubiera preguntado directamente: «¿Podemos ir el mes que viene?», estoy segura de que me habría dicho que me pusiera en contacto con su oficina para que nos enviaran los billetes. Cuando echo la vista atrás, me doy cuenta de que debía haber sido más decidida. Pero tanto Jacqui como yo éramos reservadas por naturaleza. Nunca presionábamos a nadie, incluido John. Ahora lamento no haber organizado el viaje. Pero entonces pensábamos que teníamos mucho tiempo.

Aunque John había vivido en la ciudad la mayor parte de su vida, sin embargo le gustaba el campo y su estilo de vida. Supongo que unirse con la Madre Naturaleza era parte de su actitud básica ante la vida, lo mismo que sus ideas sobre el conocimiento de uno mismo, la honestidad, los vínculos familiares y el respeto para con los menos afortunados.

Quería saberlo todo sobre la época que Allen y yo habíamos pasado en Irlanda. ¿Qué condados habíamos visto? ¿Qué partes de la costa habíamos explorado? ¿Qué pensábamos de Mayo?, uno de los condados. ¿Nos gustaría tener una isla allí?

De hecho, él tenía una. Se llamaba Dornish y estaba en la parte oeste de la costa de Irlanda. No tenía ni agua corriente, ni electricidad ni ningún tipo de alojamiento; los últimos habitantes fueron un grupo de *hippies*. «Para ti, si la quieres —dijo John—. Puedes ir y quedarte allí. ¡Vive como una salvaje!» Cuando mencioné la falta de agua, me respondió: «Bueno, pues bebe cerveza». ¡Qué atolondrado era John! Siempre era así. Sin juicio y poco práctico. Había hecho realidad lo que para mucha gente sólo es un sueño: comprar una isla rodeada de un mar salvaje. Esto, en sí mismo, es algo fantástico. ¡Qué celebración! Sin embargo, nunca fuimos y he leído que Yoko la vendió el año pasado. ¡Qué pena!

Otra de las ideas raras de John era que Allen y yo emigráramos a Estados Unidos. Le cautivaba el país y repetía continuamente que era hermosísimo. Me habló de la granja que había comprado en Virginia. «Es el lugar más fantástico del mundo, Ju —decía—. Es increíblemente bonito.»

Allen y yo habíamos jugado con la idea de emigrar a Norteamérica, pero a Canadá y no a Estados Unidos. En cuanto se lo dije, John afirmó que podía ayudarnos.

Allen no tendría ningún problema para encontrar trabajo. Él podría buscar algo en Toronto por medio de sus contactos. Pero esta idea, lo mismo que todas las otras posibilidades que discutimos para reunirnos al otro lado del Atlántico, se quedó en nada. Pensábamos que teníamos mucho tiempo para organizar nuestras vidas juntos.

Aunque hacía muchísimo tiempo que no nos veíamos, no nos faltaban temas de conversación. Nunca eran cosas sensacionales y, para alguien que no fuera de la familia, supongo que resultarían la mar de aburridas. Una noche, yo sabía una historia muy rara y se la quería contar a John. Yo, que había sido acusada por el personal que trabajaba para él de ser una falsa hermana, le quería informar sobre un falso hermano.

Se llamaba Tony, tenía veintidós años y era de Cambridge. Una mañana apareció en el umbral de mi puerta y me dio la increíble noticia de que él era mi hermano largo tiempo desaparecido. Sus palabras fueron exactamente: «Puede que le coja por sorpresa, pero soy su hermano.» Parecía sincero y me dio pena. Añadió que le habían dado en adopción en Liverpool y que sus nuevos padres le habían llevado al Sur. Estaba convencido de que mi madre había dado a luz a otro niño después de John y antes de que naciera yo. Me dijo que era dos años mayor que yo y cinco más joven que John y se sabía todos nuestros nombres, incluso el de mi madre. Era un pobre loco, una víctima de la Beatlemanía. Siguió viniendo. Una vez me dejó un ramo de rosas y un álbum de Los Beatles en la puerta. Finalmente, le pedí a Allen que hablara con él y no le hemos vuelto a ver.

Cuando apareció, yo aún no sabía nada sobre el nacimiento de Victoria, mi medio hermana, que se había producido en 1945, el mismo año en que había nacido Tony. Aunque Tony estaba completamente equivocado, lo que es evidente es que había hecho una investigación. Recuerdo que le hablé a Leila de este extraño joven que había llegado a visitar la tumba de mi madre en el Cementerio Allerton, cosa que yo soy incapaz de hacer. Se quedó totalmente callada y no hizo el menor comentario. Su silencio me pareció muy misterioso. ¿Había algo de verdad en toda la historia? Ésta fue la primera pista que tuve de que acaso había alguna cosa fuera de lo común en la vida de mi madre. Pero Leila nunca me reveló que sabía el secreto de Victoria Elizabeth, la hija de mi madre que nació durante la guerra. Como era la prima mayor, le habían comunicado lo que sucedía pero había jurado a las hermanas Stanley que guardaría el secreto. Una vez más, la conspiración del silencio, como comprobé después cuando descubrí por mí misma la verdad sobre el nacimiento de Victoria Elizabeth.

Fue años después, hacia 1985; estaba hablando con un editor y, de pasada, mencionó al bebé. Se dio cuenta de que yo no sabía nada. Me quedé estupefacta. Y me dijo que hablara con Mimi. La verdad es que fue muy violento para los dos. Me hizo recordar el extraño silencio de Leila y supe que era verdad, aunque parecía absurdo. Finalmente, se lo pregunté a Nanny y me lo contó todo, pero a regañadientes. No tenía sentido decirle que nos lo debía haber contado. El plan de protección estaba de nuevo en marcha. Y muchas cosas que hasta entonces no habían tenido sentido, empezaron a tenerlo.

En diciembre de 1976, John llamó para felicitarnos la Navidad. Pensé que sería estupendo poder regalarle algo, algo que tuviera valor para él. Era una tontería comprarle un objeto. Seguro que cualquier cosa que estuviera al alcance de mi bolsillo, la tenía ya.

Tenía que ser un regalo muy especial, algo que no se pudiera comprar con dinero. Algo que no tuviera precio. Lo pensé mucho y se me ocurrieron varias ideas. Tenía que ser una cosa hecha por mí. Como cuando los niños te dibujan una tarjeta de cumpleaños, con todos esos adorables garabatos, en vez de darte una tarjeta comprada en una tienda. Lo que yo le podía dar a John era mi tiempo. El esfuerzo simbolizaría lo que yo quería decir y dar.

Todas las chicas de nuestra familia sabemos bordar. Mi abuela enseñó a sus hijas y mamá, a su vez, a Jacqui y a mí. Sólo tuvo tiempo de explicarnos las puntadas más sencillas, pero antes habíamos aprendido a hacer punto. Nos enseñó a hacer punto a todos, incluso a John. Nos sentábamos en la cocina y, siguiendo sus instrucciones, hacíamos paños de cocina con unas agujas que parecían postes del teléfono y grandes ovillos de bramante. Después, Harrie la sustituyó. Y bordamos las dos bastante bien.

La respuesta era una mantelería bordada a mano; una grande, ya que lo más seguro es que John tuviera una mesa de comedor muy grande en su apartamento del Dakota. Usaría los más finos hilos irlandeses. Cuando la utilizara para alguna comida maravillosa que quizá habría preparado él mismo, acaso un cordero asado de acuerdo con mi receta, pensaría en el hogar.

La tela que compré tenía el tamaño de una colcha. Iba a ser algo muy laborioso, como había pensado. Mi intención era bordar toda la superficie, unos ocho metros cuadrados, para que quedara completamente estampada. No lo terminé. Después de pasar cientos de horas trabajando, cuando todavía no había bordado más que la cuarta parte de la superficie, John ya no recibiría mi regalo nunca. Ahora está en el fondo de uno de mis cajones. Puede que la termine algún día, quizá para la boda de mi hija Sara.

Un regalo especial para una persona amada.

CAPÍTULO 6

DIEZ MINUTOS DE SILENCIO

Hemos perdido a un genio del espíritu.

NORMAN MAILER

Nuestro pobre primo. En el trabajo era un Beatle, pero en casa siempre, siempre, era un hermano. Nuestra querida Judy finalmente lo tiene con ella de nuevo.

LEILA

Para empezar, John Lennon fue siempre un buen amigo. Nunca el chico abusón y agresivo que dice mucha gente. Cuando lo asesinaron, creo que estaba llegando a su punto más alto, como artista y como ser humano. Y, ¿qué es lo más triste de todo? John ha muerto.

GERRY MARSDEN

John amaba al género humano y rezaba por él. Por favor, haced lo mismo por él. Por favor, recordad que tenía una profunda fe en la vida y un gran interés y que, aunque ahora se haya unido a la fuerza superior, sigue estando aquí con nosotros. No habrá funeral. Habrá diez minutos de silencio el 14 de diciembre a las 2 de la tarde.

YOKO ONO LENNON

Después de dieciocho meses de llamadas telefónicas, John y yo nos dejamos arrastrar de nuevo por nuestros mundos tan distintos. Fue a finales de la década de los 70. Los dos tuvimos la culpa. Pensábamos que teníamos todo el tiempo del mundo. Y nunca volví a hablar con él ni a escribirle.

Aquellas largas conversaciones sobre nuestra madre habían hecho que se creara entre nosotros un vínculo y nos encontrábamos más unidos que nunca. Pero nuestras vidas, aunque eran completamente diferentes, nos mantenían ocupados a los dos. John estaba totalmente dedicado a Sean y metido en la burbuja que se había construido, en el Dakota. Yo me había cambiado de casa dos veces, trabajaba de profesora haciendo suplencias y tenía que cumplir mis deberes familiares.

Además, no siempre reunía el valor necesario para enfrentarme con las barreras que rodeaban a John. Desde que aquella secretaria de la oficina de Apple me trató tan mal, siempre me había costado mucho trabajo acercarme a él. Después de mis conversaciones con la telefonista del Dakota, siempre me prometía a mí misma que sería la última vez que llamara. Y tenía que recordar que se debía proteger contra la gente rara que iba tras él. Después de todo, el personal que trabajaba para él solamente cumplía con su obligación.

Había otro problema. Yoko se portaba de forma muy protectora. Le llamé varias veces y todas ellas se puso Yoko. Siempre le llamaba tarde, por la noche, para que fuera una hora razonable en Nueva York, no una hora intempestiva en la que le pudiera molestar. «John no se puede poner», me decía sin darme ninguna explicación. O bien «John está durmiendo».

Bueno, para mí, en Merseyside, era medianoche y por lo tanto hora de ir a dormir pero, para John, al otro lado del Atlántico, eran las seis o las siete de la tarde. A veces llamaba a las tres de la tarde, hora de Nueva York. Un poco temprano para acostarse o, ¿es que se echan la siesta en Nueva York? Después, ya no volvía a llamar. «No lo pienses, cariño. Hazlo.» Ésa era la máxima favorita de mi madre y lamento mucho no haberla seguido. Lamento no haber intentado más veces que se pusiera al teléfono, lamento no haber cogido a los niños y haber salido rumbo a Nueva York, como tantas veces me sugirió. Si hubiera sido más decidida, los niños habrían tenido la oportunidad de conocer a su famoso tío. ¡Qué bien se lo habrían pasado viendo los rascacielos y estando con John! Siempre me esforcé en hablarles de él y le llamaba tío John, nunca John a secas, para que establecieran una relación con él. Conocían su voz porque le habían escuchado en disco y le habían visto montones de veces en la televisión. Cuando Nicky estaba a punto de cumplir los nueve años y Sara tenía siete, me quedé embarazada de David. Les conté que para el nuevo bebé sería fantástico tener un hermano y una hermana mucho mayores y les puse de ejemplo a tío John y a mí, y les hablé de lo bien que lo pasábamos Jacqui y yo con él.

Cuando se reflexiona, es fácil darse cuenta de lo que

se debería haber hecho en un momento determinado. Lamento no haber insistido y haber tardado tanto en contestar a sus cariñosas cartas, una de las cuales empezaba: «Queridos Julia, Allen y todos los demás que estén en la playa de Walla Walla».

Sé que a Leila le pasaba lo mismo. Aunque John y ella no estaban tan unidos como en la época de la muerte de mi madre, se escribían y se llamaban de vez en cuando. Dice Leila: «Cuando pienso en el pasado, me gustaría no haber estado tan ocupada y haber ido a darle un cachete algunas veces más. Sin embargo, por otro lado, todos tenemos una vida complicadísima. Pero él me escribió algunas cartas encantadoras. Eran cartas de John, tan majo y normal, no del John que hacía chistes idiotas sobre el público. Me mostraron su auténtica naturaleza, seguía siendo el buen chico de toda la vida.

»Desgraciadamente, algunas de esas cartas se han perdido. Tengo que admitir que tiré otras porque hablaba de ese hombre que lee el Tarot y pensé que no decía más que sandeces. De vez en cuando, me enviaba una hablando del Tarot y los dibujos los hacía él mismo. Estoy segura que a Sotheby's le habrían encantado. Pero terminaron en la papelera. Y, por supuesto, sus postales de Navidad no se podían comparar con las del resto de la familia.

»Hace poco he tenido una pelea con Yoko sobre algunas de estas cartas. Mi hija necesitaba dinero en un momento dado y tanto machacó y me molestó que, al final, me rendí y le di algunas para que las vendiera. Estoy segura de que a John le habría importado un pimiento, pero Yoko se puso francamente grosera.

»Una noche me llamó y me dijo de todo. Insinuó que la publicidad relacionada con esas cartas sería muy negativa para un concierto que estaba organizando y que intentábamos meternos en su vida por la fuerza. Pero a ninguno de nosotros nos interesan para nada las candilejas. Tenemos nuestras vidas normales y nuestras familias, lo que debe bastar a cualquiera. Así que, dadas las circunstancias, pensé que me encantaba toda la historia. Le contesté, sencillamente: "Mira, Yoko, John era de nuestra sangre. Tú solamente estabas casada con él y, si lo miras bien, eras su segunda esposa". Considerándolo todo en su conjunto, creo que el comentario era justo. Sin embargo, empezó a subirse por las paredes y a emplear un lenguaje muy poco fino. A partir de entonces, dejó de enviarnos pequeños obsequios en Navidad, cosa en la que John había insistido. Creo que llegó a llamar a mi hermano David para decirle que creía que yo tenía que disculparme. Por lo que a mí se refiere, no lamento nada. No tiene ningún derecho a llamarme por teléfono y ponerse a criticar mi ética.

»Nunca habría intentado sacar provecho de mi relación con John. Cuando todavía vivía podía haber conseguido lo que me hubiera apetecido, sólo habría tenido que pedírselo y ni se me pasó por la cabeza. Soy doctora, ¡por Dios! Mi familia nunca ha pasado necesidades ni las pasará si está en mi mano evitarlo».

Los regalos de Navidad que Leila menciona eran las cestas que John enviaba a todos los miembros de la familia. Llamaban de su oficina a Harrods y a Fortnum & Mason y ordenaban que nos las enviaran. En ellas había cosas típicas de Navidad, como champán, patê Stilton, jamones ahumados y pudding de ciruelas. Se las siguen enviando a ciertos miembros de la familia, entre los que no nos encontramos ni Jacqui ni yo. Leila dejó de recibirla un año, después de la conversación, pero luego se reanudó la costumbre. A Jacqui y a mí nos borraron de la lista sin darnos ninguna explicación, pero nunca nos importó.

Las cestas no eran regalos personales y, aunque lo que

contenían era exquisito, ninguna de las dos nos sentimos nunca fascinadas. Y sé que los abstemios de la familia regalan al lechero las botellas de bebidas alcohólicas.

El año 1980, en primavera, Allen y yo nos trasladamos a la amurallada ciudad de Chester, en la frontera con Gales, que está como a media hora en coche de Liverpool. Ese otoño, Leila, que había conseguido ponerse en contacto con John, nos dio estupendas noticias. Dijo que le había insinuado que iba a venir a Inglaterra en enero para la promoción de su álbum *Double Fantasy* que había hecho junto con Yoko. Sean ya tenía cinco años e iba al colegio y John estaba libre para volver a trabajar. Yoko y él habían pasado los meses de agosto y septiembre en la Hit Factory, los estudios de grabación de Manhattan, trabajando sobre veinticuatro temas de los que eligieron catorce para *Double Fantasy*: siete de John y siete de Yoko.

Después de estar prácticamente recluido en casa, atado a las labores domésticas durante cinco años, John empezó a conceder entrevistas de nuevo para promocionar el álbum. Fue horriblemente irónico que lo que dijo en una ocasión fuera casi una intuición de lo que dirían de él pocas semanas después.

«¿Por qué estaba la gente enfadada conmigo por no trabajar? —dijo en una de las entrevistas—. Si estuviera muerto, nadie estaría enfadado conmigo. Si me hubiera muerto a mitad de la década de los 70, después de *Rock'n'Roll* o *Walls and Bridges*, todo el mundo estaría escribiendo excelencias sobre mí, qué tío tan estupendo era y cosas así. Pero no me he muerto y lo que pone furiosa a la gente es que vivo y hago exactamente lo que quiero.

»Ahora me voy a divertir, como cuando empezábamos. En 1975 no podría haber escrito *Starting Over*. Me estoy encontrando a mí mismo escribiendo como solía hacerlo antes. Estos últimos cinco años me han ayudado a liberarme de mi intelecto y de la imagen que tenía de mí mismo. Por lo tanto, de nuevo puedo escribir sin pensar conscientemente en ello, lo que es un gozo. Es como en nuestro primer álbum. Es como decir hola, hola, aquí estamos. Porque ahora sé que puedo alejarme. El single se llama *Starting Over* porque eso es exactamente lo que estoy haciendo. Me ha costado cuarenta años hacerme mayor. Ahora percibo cosas que antes ni sabía que existieran.»

A pesar del optimismo de John sobre el futuro, supongo que se debe haber sentido ligeramente nervioso pensando en la reacción que provocaría su primer oferta artística en cinco años. Por los periódicos, me enteraba de sus movimientos y daba la impresión que todo el mundo se sentía auténticamente complacido por su vuelta. A finales de noviembre, *Double Fantasy* escalaba las listas a los dos lados del Atlántico y se anunció que era definitivo su anunciado viaje a Inglaterra.

Desde los días de Los Beatles, John no había concedido tantas entrevistas ni había aparecido con tanta frecuencia en la televisión. Una vez, en el programa *Old Grey Whistle Test* dijo mirando fijamente a la cámara: «Saludos a todos los amigos que están en Inglaterra». Sabíamos que se refería a nosotros, en Liverpool, y no podíamos contener nuestra impaciencia porque ya estuviera aquí.

El 9 de diciembre empezó como cualquier mañana normal de la semana, con las carreras habituales para llevar a los niños al colegio, dar de desayunar a David, el bebé, y hacer a la vez otro millón de cosas. Eran las ocho menos cuarto y Allen ya había salido para su trabajo en Liverpool. Nicky y Sara se estaban vistiendo ellos solos aunque yo les animaba con un coro de «más deprisa» y David estaba en su sillita alta tomándose las últimas cucharadas del desayuno. No me había molestado en poner la radio para escuchar las noticias. Ya había bastante barullo en la casa con los niños como para añadir un ruido más.

No teníamos teléfono porque cuando nos cambiamos no estaba instalado y aún no lo habíamos solicitado. Llevábamos en la casa sólo tres meses y seguíamos tirando tabiques y haciendo ventanas. Estábamos arreglándola a nuestro gusto. Para casos de urgencia había llegado a un acuerdo con Silvia, la vecina de enfrente, que me permitió dar su número a parientes y amigos íntimos.

Cuando sonó el timbre, me imaginé que era el cartero. Pero cuando abrí, me encontré con que era Silvia. Leila estaba al teléfono.

Me precipité a la cocina, cogí a David de la sillita alta, me lo puse bajo el brazo y crucé la calle corriendo hacia la casa de Silvia sintiéndome enferma y desesperadamente asustada. Si Leila llamaba a esa hora, algo iba muy mal. Era como recibir una carta con orla negra.

En cuanto cogí el auricular, Leila me dijo: «¿Has oído la noticia? Es John. Le han disparado un tiro».

No recuerdo qué más dijo Leila, ni siquiera si me especificó que estaba muerto. No tenía ninguna necesidad de hacerlo. Yo lo sabía. Mis recuerdos de aquella mañana son absolutamente confusos. Estaba demasiado destrozada para que hubiera algo que tuviera sentido. No recuerdo nada, supongo que Silvia cogería a David. No sabía que era hermana de John, pero se dio cuenta en cuanto murmuré el nombre de John por el auricular. No podía parar de llorar. No podía creérmelo.

Mi madre, mi padre y ahora mi hermano. ¿Cuántos vacíos más se tendrían que producir para que mi vida se convirtiera en un enorme hueco? Parecía que nadie estaba a salvo. No había ninguna regla. La ley de la muerte se había vuelto loca. Pensé que nadie de la familia estaba a salvo. Mis niños de repente me parecieron muy vulnerables. Posteriormente, durante muchas semanas, sufrí unas horribles pesadillas sobre los niños que me hacían despertarme gritando de horror. En la parte de atrás de la casa había un pozo negro y, poco antes de que nos mudáramos, un niño había muerto en él. Se convirtió en una obsesión, estaba aterrorizada.

Si le iba a suceder algo a uno de mis hijos, ¿qué sería? Ya no podía aguantar más.

No recuerdo ni lo que dije ni lo que hice cuando volví a mi casa desde la de Silvia. Puse el piloto automático y, no sé cómo, los niños se fueron al colegio sin enterarse. Después me di cuenta de que había sido un descuido no decirles nada pero era incapaz de razonar. En el colegio nadie sabía nada sobre su parentesco con John y era fácil que alguien hiciera algún comentario sobre el asesinato, lo que les resultaría muy desconcertante.

Mi mente estaba paralizada. Me senté llena de confusión esperando a Leila, que venía de Manchester. Trabajaba allí en un hospital. Llegó una hora después, aproximadamente, y lo único que recuerdo es que nos pasamos llorando la mayor parte del día.

Leila tenía que regresar a causa de su hijo menor, Robert, que estaba a punto de llegar a casa del colegio. Me senté en la cocina a esperar a Nicky y a Sara. No me decidía a poner la radio. Leila me había dicho lo que había oído y no quería saber nada más. Cuando los niños volvieron, les senté a mi lado y se lo dije. Tampoco recuerdo lo que dije exactamente ni cómo reaccionaron. Es parte del vacío en que se convirtió el día. Lo único que recuerdo es que me sentí muy aliviada de que no les hubieran comentado nada en el colegio porque así se lo pude explicar yo. Se pusieron a ver la televisión, eran demasiado pequeños para hacerse cargo.

Ni siquiera pude entrar en la habitación de la televisión por si aparecía la cara de John mirándome desde la pantalla. Acosté a David e hice lo mismo en cuanto los mayores se hubieron ido a la cama. Parecía que era el único sitio al que se podía ir.

Ese otoño había pensado cientos de veces: «Si John no viene en enero, definitivamente iremos nosotros a Nueva York». Volvía a ser consciente de que habíamos perdido el tiempo y me había prometido a mí misma que lo dejaría todo y haría el esfuerzo necesario para verle. ¡Qué ironía, haber necesitado tanto tiempo para tomar la decisión! Lo había aplazado y ahora era ya demasiado tarde.

Durante muchos meses me obsesionó el pensamiento de que nuestra familia estaba contaminada por el aura de la muerte violenta. Creo que casi todos mis parientes han muerto en circunstancias trágicas. Incluso Harrie y Mater fallecieron de enfermedades terribles. Mater murió a causa de un cáncer de páncreas que le habían diagnosticado tres meses antes y Harrie de una prolongada hepatitis. Sin embargo, espero desesperadamente que a partir de ahora todo vaya bien. El año pasado, Nicky estuvo trabajando como controlador de los números de las locomotoras y se cayó por un puente a la carretera, que estaba veinte pies más abajo. Se podía haber matado o quedarse lisiado para toda la vida. Sara me llamó a casa de una amiga con la que había ido a tomar café y, de un tirón, me dijo: «Mamá, Nicky está en el hospital pero se encuentra bien, sólo se ha roto una pierna». Es una muchacha muy lista. No me dio tiempo para que me alarmara.

En realidad, no se había roto una pierna pero, de todas maneras, tuvo una suerte increíble. Se rompió la cadera y una muñeca y a las seis semanas ya estaba de pie.

Hacía años que no veía a John, pero cuando murió fue como si me hubieran cortado un brazo. No puedo explicar mis sentimientos, ni siquiera a mí misma. A lo largo de la semana siguiente, todavía evitaba la radio y la televisión, aunque sí que leía los periódicos. Pocas cosas tan emocionalmente agotadoras como una voz o una película repasando la vida de John o, peor incluso, la repetición de una entrevista y John hablando por la radio o mirando desde la televisión como si siguiera estando aquí. Y por lo que se refiere a escuchar sus discos, sólo pensarlo me hacía estremecerme de dolor.

Nunca tuve noticias directas de Nueva York. Yoko no llamó, aunque, para ser sincera, nunca esperé que lo hiciera. Después, en una revista, acerté a ver un comentario que había hecho.

Decía así: «Le dije a Sean lo que había pasado. Le enseñé la foto de su padre en la primera página del periódico y le expliqué la situación. Llevé a Sean al lugar donde había caído su padre después de que le dispararan. Sean quería saber por qué esa persona había disparado a John si John le gustaba. Le expliqué que posiblemente era una persona que estaba confusa. Sean dijo que debíamos descubrir si estaba confuso o realmente quiso matar a John. Le respondí que eso lo tenía que hacer el tribunal*. Me preguntó que cuál: la pista de tenis o la cancha de baloncesto. Sean hablaba así con su padre. Eran compañeros. John se habría sentido orgulloso de Sean si le hubiera escuchado. Luego, Sean se puso a llorar. También dijo: ''Ahora papá es parte de Dios. Me imagino que cuando te mueres te pones mucho más grande porque eres parte de todo''. No tengo gran cosa que añadir al comentario de Sean. Los diez minutos de silencio tendrán lugar el día 14 a las 2 de la tarde».

Empezaba a diluirse el horror de lo que acababa de

* N. de la T.: *«Court»* significa, entre otras cosas, «tribunal», «pista» y «cancha».

suceder cuando apareció mi amiga Dot para consolarme. Dot y yo éramos vecinas en Wallasey pero, aunque yo ahora vivía en Chester y ella se había trasladado a Gales, seguíamos estando en contacto. Como todos mis amigos, excepto los que eran de Liverpool y me conocían desde la infancia, Dot no sabía que John era mi hermano. Con frecuencia me había oído mencionar a otras personas de la familia, por ejemplo, Mater dijo tal o Harrie dijo cual o Mimi y Nanny van a hacer esto y lo otro. Cuando Dot leyó en la prensa cosas sobre la madre y las tías de John, en un principio no pudo relacionar todo ese catálogo de nombres conmigo. No tenía ningún motivo para hacerlo. No se mencionaba ni mi nombre ni el de Jacqui, lo cual era la demostración de que nuestra norma de mantenernos apartadas de la luz de John había sido muy efectiva. Pero luego Dot empezó a pensar y le dijo a su marido: «No sé por qué, pero yo diría que es el hermano de Julia». Finalmente se dio cuenta de que eran muchas las coincidencias y se vino desde Gales a verme. Cuando se percató del estado en el que me encontraba, no tuvo necesidad de preguntar.

Siempre le estaré agradecida a Dot por sus atenciones y por todo el cariño que me demostró en ese momento. Incluso recortaba todos los artículos de los periódicos que hablaban de la muerte de John. Y no sólo del periódico que solía leer, sino de todos los demás porque sabía que yo no querría leerlos hasta pasado un tiempo.

En realidad no los leí en mucho tiempo, aunque me alegro de tenerlos. En lo más profundo de mi corazón, no quería ver nada. Además era muy traumático leer lo que sentía todo el mundo sobre la muerte de John mientras que yo estaba luchando con mis propios sentimientos.

A las pocas horas de la muerte de John, tanto Paul McCartney como George Harrison enviaron sendos comunicados a la prensa.

El de George decía: «Después de todas las cosas que pasamos juntos, sentía, y todavía siento, un gran amor y respeto por él. Me encuentro indignado y aturdido. Robar la vida es un acto incalificable. Esta usurpación perpetua del espacio de las otras personas llega al límite cuando se usa una pistola. Es una atrocidad que alguna gente pueda tomar las vidas de otras personas cuando, evidentemente, no tiene la suya en orden».

El de Paul decía: «John fue un gran hombre al que el mundo echará de menos con tristeza y recordará por su contribución única al arte, a la música y a la paz mundial».

Todo el mundo quería saber todo sobre John, y, además, de labios de quienes habían estado más unidos a él. Mimi y Cynthia se encontraban en la primera línea de fuego y la prensa las acosó sin darles descanso. Toda la familia estaba, evidentemente, destrozada por la aflicción y a Mimi y Cynthia les debió resultar terriblemente difícil hacer frente a sus emociones y soportar además el acoso. Indudablemente, resultó muy duro para Cynthia, que seguía de luto por su amor a John. Por lo menos ahora podría descansar.

Finalmente, las dos aceptaron hablar sobre John. El mundo estaba tan ávido de enterarse de lo que sentían que no las habría dejado en paz hasta que lo contaran.

«Desde que murió su madre, John siempre me consideró a mí como su madre —dijo Mimi—. No existía ni una sola posibilidad de que fuera una persona corriente. Habría tenido éxito hubiera hecho lo que hubiera hecho. Siempre estaba contento. Nunca podré recobrarme de este golpe.»

Cynthia, emocionalmente cautelosa, dijo: «A pesar de que estábamos divorciados, sigo teniendo a John en la más alta estima. Me gustaría hablar de John con usted pero sé que, aunque lo intentara, no me saldrían las palabras. Es muy, muy doloroso. Todo lo que puedo hacer es quedarme en Inglaterra e intentar mantenerme al margen de todo».

No hubo funeral, sólo los diez minutos de silencio. Y nadie de la familia, excepto Julian. Fue la única persona a la que Yoko invitó. Por lo que a mí se refiere, yo no quería ir y el resto de la familia tendría sus propias razones. No había visto enterrar ni a mi madre ni a mi padre y si hubiera ido, los habría visto allí a los tres morir a la vez. Es inevitable, ha habido gente que me ha preguntado qué es lo que siento hacia el hombre que mató a mi hermano. Estaba confundido y enfermo y, envidentemente, necesitaba ayuda. Es desesperadamente triste que su mente llegara a un estado tal que le pudiera dictar semejante acción. Al tomar la vida de John, casi se ha quitado la suya.

Me siento desesperadamente apenada por Sean. John le dedicó mucho tiempo y ha dejado en él la marca de un padre amante. Debe echar de menos espantosamente a su papá. John perdió dos hijos: Julian en la infancia, porque Los Beatles estaban siempre de gira, y Sean justo cuando podía empezar a entender lo maravilloso y especial que era su padre.

En 1985, cinco años después de la muerte de John, Leila decidió escribir a Sean. Le preocupaba que perdiera el contacto con sus raíces a este lado del Atlántico. No habíamos recibido ninguna noticia suya, aunque todos sabíamos que estaba enterado de que existíamos. Sean había sido la razón que había tenido John para pedir a toda la familia recuerdos de su infancia en Liverpool y fotos de nuestra madre. Leila sabía que John, con su gran sentido de los valores familiares, hubiera deseado que mantuviéramos abierta la comunicación entre Sean y su herencia del Merseyside. Lo que inicialmente movió a Leila a escribir fue un especial de televisión sobre la vida de John para conmemorar el quinto aniversario de su muerte. La película nos enfureció a todos y nos pareció muy insultante la forma de retratar a su familia. Llamé al director y se lo dije.

Nuestra madre aparecía en la película como una imbécil sin seso de un barrio bajo de Liverpool que abandona a su hijo. A John le presentaban como el típico huérfano sin amor, no como el hombre que realmente fue, que tenía una familia muy numerosa y muy cariñosa. No habían dado ni una. Incluso a la hermosa Cynthia la retrataban como una mujer sucia con pañuelo a la cabeza.

Una de las razones fundamentales que he tenido para, finalmente, decidirme a escribir este libro ha sido que quería dejar las cosas claras sobre nuestra familia y en especial sobre nuestra madre, ya que John no está aquí para hacerlo él mismo. Si John viviera, no habría ninguna necesidad. A partir de su muerte han aparecido en la prensa muchos comentarios injustos y malignos sobre ella y he sentido la necesidad de hacer algo. Son principalmente los relacionados con el supuesto «abandono» por parte de Julia de su hijo John. John habría dicho: «No leas eso». Acaso se pueda ignorar cuando se es rico y famoso, pero a mí me resulta muy difícil. Después de todo, es mi madre de quien se habla. Y yo tengo hijos en los que pensar y debo tener en cuenta sus opiniones sobre la abuela que nunca conocieron.

Nos preocupa mucho que Sean se forje una impresión equivocada de la familia de su padre. Después de todo, es parte integral de su existencia. Yoko aparece con él al final de la película y no es probable que lo hubiera hecho si no hubiera aprobado el principio.

Mucho antes de la pelea de Leila con Yoko por el asunto de las cartas de John, aunque la relación que mantenían no era íntima de ninguna manera, por lo menos era todavía viable. Por lo tanto, le escribió a Sean una serie de cartas contándole todo lo que sabía de su abuela Julia y del resto de la familia.

«Yoko nunca olvidaba mandar regalitos de Navidad a la familia de aquí, de Gran Bretaña —dice Leila—. Así que no me pareció que estuviera fuera de lugar escribirle a Sean y contarle cosas de su abuela. Creo que le escribí cuatro cartas. Desgraciadamente, no recibí contestación a ninguna de ellas. Mi teoría es que no las recibió. Personalmente creo que hay alguien en Nueva York que se sentiría más feliz si Sean no supiera absolutamente nada de la familia de su padre. Si es así, pues muy bien. Ya no me queda nada por hacer. Cada cual, a lo suyo, como yo digo.»

Sean tiene ahora doce años y sería maravilloso que pudiera venir a Liverpool y comprobar por sí mismo cómo pervive el recuerdo de su padre en su adorada ciudad natal. Lo triste es que John se fue sin saber que no tendría la oportunidad de despedirse de ella.

Por todos los rincones de Liverpool hay recuerdos de John y del grupo que él hizo pasar a la historia. Las tiendas y los restaurantes llevan los nombres de Los Beatles y de sus canciones: el pub Abbey Road, el John Lennon Memorial Club, escaparates llenos de recuerdos de Los Beatles, la cara de John sonriendo desde las camisetas, una estatua de tamaño natural de Eleanor Rigby sentada en un banco, esperando, mientras los fans se sientan a su lado y le hacen fotos, y esas otras partes de Liverpool como Penny Lane o Strawberry Fields que son la historia viva de Los Beatles.

Hace poco volví a Penny Lane y me encontré que Mr.

Leong's, la lavandería china a la que iba mi madre, sigue abierta. Me acuerdo de Jacqui y de mí allí de pie, olfateando, como los niños de los anuncios, el dulce y cálido aroma a ropa limpia que flotaba en el aire. La fachada de esta tienda es una de las pocas originales que quedan en esta legendaria calle de Liverpool, incalificable a pesar de sus connotaciones románticas. Al final hay una hilera de casas corrientes de ladrillo rojo, un centro comunitario y un campo de deportes; el acontecimiento más emocionante el día que yo fui era un partido de fútbol de aficionados. En el otro extremo de la calle, donde los autocares de los viajes organizados se detienen para que bajen los turistas, no hay ningún problema. Todo es Penny Lane: tienda de discos Penny Lane, agencia de alojamientos Penny Lane, panadería Penny Lane y, claro, el mundialmente famoso Penny Lane Wine Bar (minestrone casera, pastel de pollo y champiñones y sandwiches). Hasta Los Beatles, a nadie se le ocurrió ponerle a nada Penny Lane. Era simplemente una de las muchas calles de Liverpool con nombre raro, como Buttercup Way o Zig Zag Road. A intervalos, durante muchos años, Penny Lane se ha quedado sin los rótulos con el nombre de la calle. Los coleccionistas de recuerdos siguen robando la placa de la pared. Ahora el Consejo de Merseyside ha resuelto el problema colocándola muy alta, fuera del alcance.

En octubre de 1986 había ido de compras al Centro Cavern Walks; la plaza principal la preside una estatua de Los Beatles tocando la guitarra. Me quedé asombrada pues ese día estaba cubierta por una masa de flores, desde simples ramos hasta magníficos *bouquets*. Entonces me di cuenta. Era 9 de octubre. El cumpleaños de John. Había tarjetas firmadas por personas de todo el mundo. «Te añoramos, John», «Nunca te olvidaremos», «En memoria de un gran hombre».

Sean en Nueva York, 1982.

Jacqui y yo de vuelta a Springwood, donde vivimos con nuestros padres hasta junio de 1958. John llevó allí a Yoko en un viaje nostálgico que hicieron en 1970.

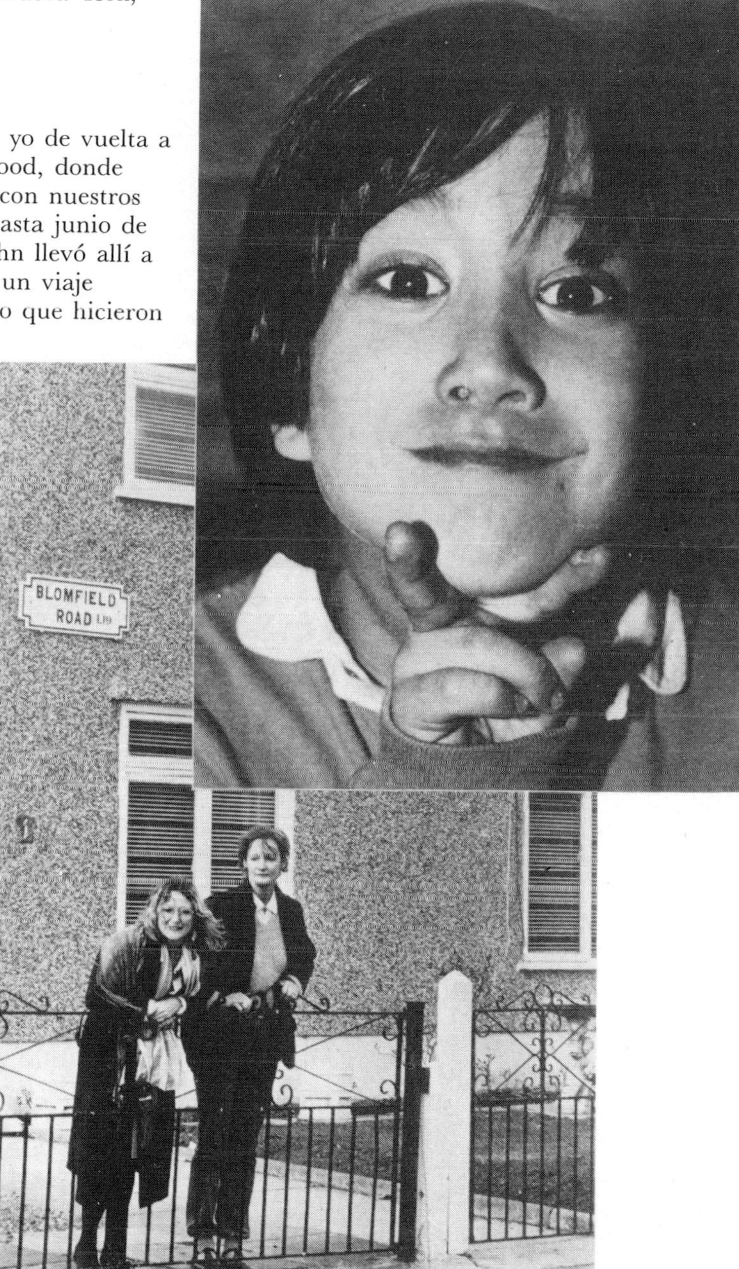

Arriba: Yoko y John c
Kyoko, la hija de Yok
habida de su primer
matrimonio con Anth
Cox, 1969.

Izquierda: Con
Julian.

Saliendo del juicio por posesión de marihuana en Londres, 1968.

Arriba: En París, después de su boda en Gibraltar. Marzo de 1966. John lleva un abrigo de pelo humano que costó más de 1.000 libras.

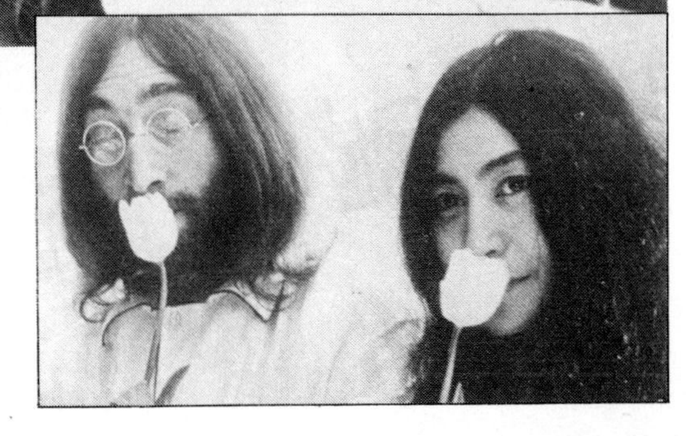

Derecha: Amsterdam, 1969. En la «Cama de la paz». ¡Sin comentarios!

La «Campaña Internacional por la Paz» de los Lennon sugería que los líderes del mundo debían plantar una bellota como símbolo de la unidad. Sólo lo hicieron Pierre Trudeau, Primer Ministro de Canadá, y Golda Meir, de Israel.

En Manhattan, septiembre de 198(

Izquierda: Conferencia de prensa en 1969 en la oficina de Apple de Bag Productions.

Arriba a la derecha: Llegada a los estudios de grabación Hit Factory, en Nueva York, durante la producción de *Double Fantasy,* 1980.

En Nueva York, 1980.

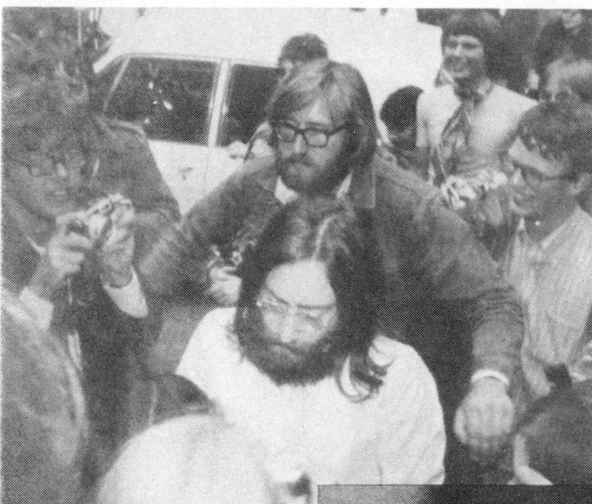

Acosado para firmar autógrafos mientras se dirige a los estudios durante la grabación de *Abbey Road*.

John saliendo del edificio de apartamentos Dakota, donde pasó los últimos meses de su vida.

rriba: Actuación con Elton
ohn, en 1975, cantando *Whatever
Gets You Through the Night,* que,
orprendentemente, llegó al
úmero uno de las listas. Fue la
ltima actuación en vivo de John.

Derecha: Detrás del escenario, en
l London Lyceum Ballroom, en
969, antes de un concierto a
eneficio de la UNICEF. John
ue siempre un generoso defensor
e causas antes de fundar su
nstitución de caridad The Spirit
oundation.

Dear Julia,
here it be,
please send a receipt — for the
TAXMAN!
(he's always after me.)
love
John.
love to all.

John preocupado por el super inspector de hacienda.
«Querida Julia, aquí lo tienes, por favor, envíame un recibo - ¡para el inspector de hacienda!
(se pasa la vida persiguiéndome).
Besos John.»

Paul a la entrada de su oficina en el Soho, 1987.

Estos recuerdos constantes de John me siguen resultando dolorosos, aunque ahora es más fácil que antes. La razón por la cual no he ido nunca a la Ciudad Beatle es que no podría resistir la tristeza que me produciría. La Ciudad Beatle, la única exposición permanente del mundo de recuerdos de Los Beatles, tiene su sede en una estructura que representa un submarino amarillo con portillas a modo de ventanas. Está temporalmente cerrada, ya que la van a trasladar de su emplazamiento actual de la calle Steel a un centro de exposición permanente que se inaugurará en una zona nueva fantástica de los muelles Albert, en la ribera del Mersey.

Es evidente que conozco muy bien Liverpool; frecuentemente he llevado a mis estudiantes extranjeros a hacer visitas por la ciudad. La Ciudad Beatle siempre es parte del itinerario. Yo no entro nunca, pero les espero en la cafetería, antes de pasar al salón de exposiciones principal.

Ya conocía a Ron Jones, por entonces administrador de la Ciudad Beatle, cuando en una ocasión que estaba esperando a mis estudiantes se me acercó y me dijo que quería pedirme un favor. Un grupo de americanos venía a Liverpool para hacer un recorrido basado en Los Beatles. ¿Me importaría dejarme caer por allí y, simplemente, decirles hola? No me gustaba mucho la idea, pero logró convencerme.

La noche señalada llegué al hotel Atlantic Tower y encontré a Ron en el bar, tal y como habíamos quedado. Pero, ¿dónde estaban los americanos? Ron me reservaba una sorpresa. El grupito de gente que pensaba encontrar se había convertido en un nutrido auditorio que me esperaba en la sala de conferencias del hotel preparados para aplaudirme en cuanto entrara. Casi me muero del susto.

El éxito fue tal que lo repetí de buena gana la siguiente vez que Ron me lo pidió. Eran gente encantadora, aproximadamente cien personas que pertenecían a todos los grupos de edad y de profesión: abogados, contables, profesores, ejecutivos publicitarios y amas de casa. Cuando subí al estrado (cuando Ron me empujó para que subiera, sería más exacto) sus caras estaban desdibujadas. No llevaba las gafas puestas. Rebusqué en el bolso, las encontré y me las coloqué sobre la nariz. Cuando levanté la vista, me di cuenta de que muchos de ellos estaban llorando. Al verme, con las gafas de mi abuela, tan parecida a John, se habían quedado abrumados. Señalé que eran de la Seguridad Social y que las llevaba mucha gente.

Habían estado en Hamburgo y en Londres y la visita a Liverpool era el momento culminante del viaje. El grupo no podía ser más heterogéneo y, sin embargo, había un factor común que los reunía como si fueran una gran familia: su adoración sin reservas por el héroe, por John Lennon. La hora siguiente hablé sin parar contestando a sus preguntas. Querían saberlo todo sobre él. Pensaba que sería difícil, pero eran cosas sencillas en general. ¿Qué desayunaba? ¿A qué edad empezó a salir con chicas? ¿Lo expulsaron de la escuela? ¿Pintaba mucho? ¿Creía yo que tenía acento americano? ¿Qué diferencia de edad había entre nosotros? Luego me dijeron que había sido maravilloso conocerme y todos se querían hacer fotos conmigo. Era una gente fantástica. Cálida y amistosa.

Me hicieron darme cuenta del lugar tan importante que ocupaba John en los corazones de mucha gente y lo amplia que era su esfera de atracción. Sólo hubo una nota discordante. Un joven sentado al fondo se empeñó en que le contara lo que él llamaba «la verdad sobre la relación entre Paul y John». Me repitió la pregunta por lo menos tres veces. Cada una de ellas le contesté que no podía hacer comentarios sobre la relación entre dos personas en una época en la que yo no estaba presente. Insistió. «Le voy a repetir la pregunta una vez más», me gritó con grosería. Me bajé las gafas con mi mejor ceño de profesora, y le repliqué: «Esto no es la Facultad de Derecho. ¡He dicho que no!»

Su interrupción no acabó con la calidez de esa velada maravillosa. Aquellas personas tan encantadoras me conmovieron y me sentí terriblemente orgullosa de que hubiera sido mi hermano el que había generado todos esos sentimientos en ellos. Y también me puso muy triste. ¡Qué pérdida!

John murió en la antesala de una nueva ola de talento y arrancaron su genio en su mejor momento. Los últimos discos que hizo eran maravillosos: *Woman, Watching the Wheels* y *Starting Over.* Mucha gente pensaba que eran las mejores canciones que había escrito en toda su vida.

El nacimiento de Sean hizo que resucitara la confianza de John en sí mismo como ser humano. Los cinco años que pasó cuidándole con dedicación total le proporcionaron el respiro que necesitaba para que se regenerara su talento. También necesitaba ese tiempo para madurar, porque apenas salido de la adolescencia cayó de lleno en el éxito desordenado de la Beatlemanía. Estudiante de arte con diecisiete años, padre a los veintiuno, estrella de fama mundial a los veintitrés, no tuvo tiempo para detenerse a respirar, para poder madurar a su propio ritmo. Cuando murió tenía cuarenta años.

Con Sean renació, se convirtió en un hombre nuevo, un genio maduro que volvía a estrenar su talento. Siempre deseó ser escritor y estoy convencida de que lo habría sido, un escritor serio. El almacén de su talento apenas acababa de abrirse cuando se produjo el absurdo de su muerte.

ÁRBOL GENEALÓGI

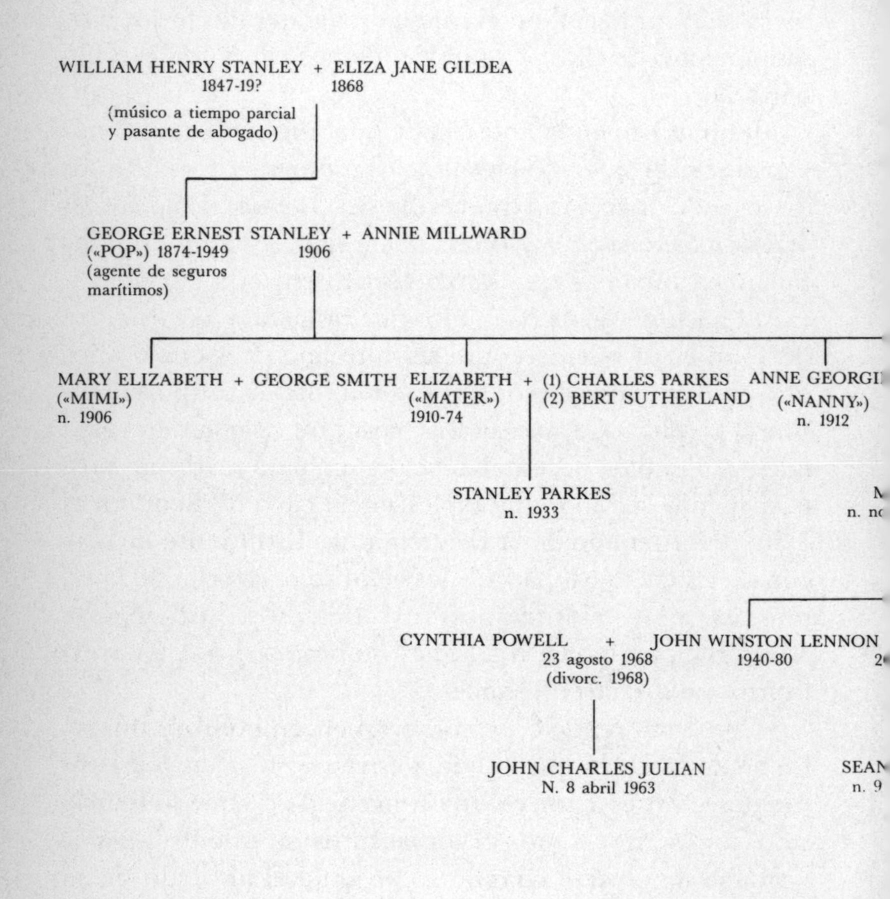

E JOHN LENNON

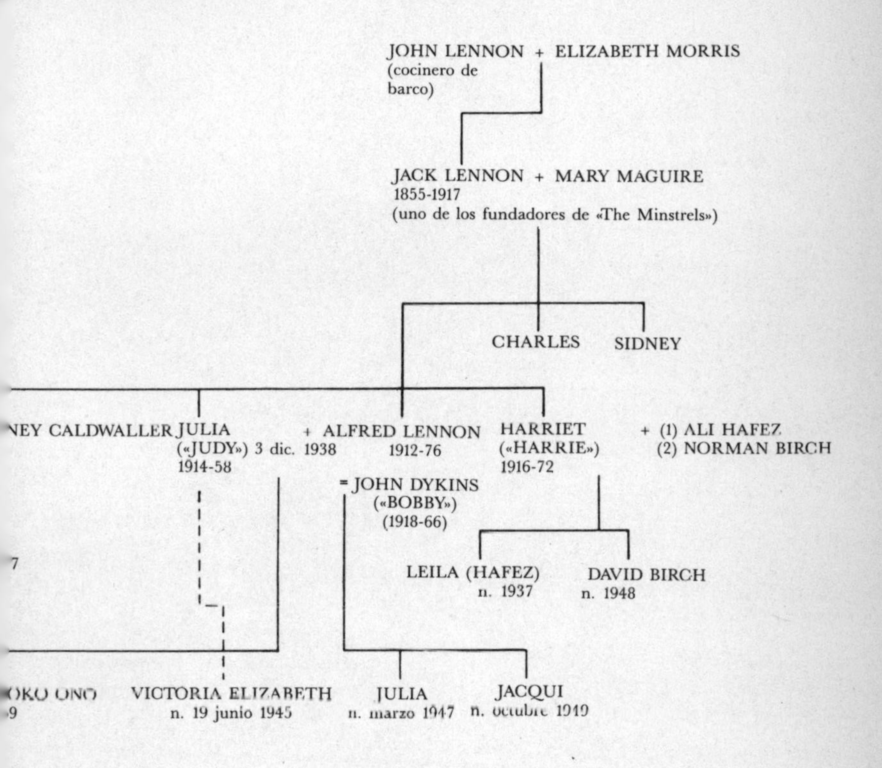

Una cronología de Lennon

Recopilada por
Geoffrey Giuliano

26 de octubre, 1855. Nace en Liverpool John Lennon, abuelo de John por parte de padre (y al que siempre llamaron Jack). Posteriormente sería uno de los miembros fundadores de la famosa *troupe* musical que hizo giras por América: *The Kentucky Minstrels.*

22 de agosto, 1874. Nace en Everton, en el número 120 de la calle Salisbury, George Ernest Stanley, austero patriarca de la familia materna de John. Pasó muchos años en el mar y más tarde se desembarcó para trabajar como investigador de seguros para la empresa Liverpool Salvage.

14 de diciembre, 1912. Nace Alfred (Alf) Lennon, el padre marinero de John, en el número 27 de la calle Copperfield, Toxteth Park, Liverpool. Su madre, Mary Maguire, tendría dos hijos más: Charles y Stanley.

12 de marzo, 1914. Nace en Liverpool Julia Stanley, hija de Annie Millward y George Stanley y madre de John Lennon, Victoria Stanley, y Julia y Jacqui Dykins.

1916. Nace John Albert Dykins, marido no legal de Julia y padre de sus dos hijas, Julia y Jacqui.

Agosto, 1917. Muere John Lennon —padre— de una enfermedad de hígado a la edad de sesenta y un años, dejando a sus tres hijos en custodia al orfanato Bluecoat de Liverpool.

18 de febrero, 1933. Nace Yoko Ono en el seno de la familia de un acaudalado banquero de Tokio.

3 de diciembre, 1938. A pesar de la fuerte oposición de la familia Stanley, Alf Lennon contrae matrimonio con la joven y libre Julia en las oficinas del Registro de Liverpool. Inmediatamente después de la austera ceremonia civil, los novios se van cada uno a su casa. Tres días después, Lennon se enrola para un viaje de tres meses en un carguero que partía rumbo a las Indias Occidentales.

10 de septiembre, 1939. Nace en Blackpool Cynthia Powell, primera esposa de John.

23 de junio, 1940. Nace en Edimburgo Stuart Sutcliffe.

7 de julio, 1940. Nace Richard (Ringo) Starkey, hijo de Richard y Elsie, en el número 24 de Admiral Grove, the Dingle, Liverpool.

9 de octubre, 1940. A las 7 en punto de la mañana, viene al mundo, durante un bombardeo alemán sobre Liverpool, John Winston Lennon. Inmediatamente después de su nacimiento, le colocan bajo la cama de hierro de su madre en la Maternidad de Liverpool. Recibe los nombres de John, por su abuelo, y Winston, en honor del Primer Ministro, Winston Churchill. Una vez más, su padre Alf está embarcado.

24 de noviembre, 1941. Nace en Madrás, India, Ran-

dolph Peter Best, primer batería realmente profesional de Los Beatles.

18 de junio, 1942. Nace en Liverpool James Paul McCartney, hijo de Mary Patricia Mohin y James McCartney.

1942. Finalmente, cediendo a las presiones de su familia, Julia Lennon accede con desgana a confiar el cuidado de su hijo a su hermana Mimi y al esposo de ésta, un caballero con una granja especializada en productos lácteos llamado George Smith.

1942. Desesperada con su esposo trotamundos, Alf, siempre a punto de sentar la cabeza, Julia termina con una relación llena de altibajos. Pronto conocerá a un agradable camarero, John Albert Dykins, y se enamorará de él. Juntos, cogerán un pisito en la entonces poco elegante zona de Liverpool Gateacre.

25 de febrero, 1943. En el número 12 de Arold Grove, Wavertree, Liverpool, nace George Harold Harrison, hijo menor de Harry y Louise Harrison.

19 de junio, 1945. Julia da a luz a su segunda hija, Victoria Elizabeth, en el Hospital del Ejército de Salvación de Elswood, en North Mossley Hill Road, Liverpool. El nombre del padre no aparece en el certificado de nacimiento, aunque se supone que fue un oficial artillero. Posteriormente, la niña fue entregada en adopción y se cree que sus nuevos padres la llevaron a Noruega. Hoy su paradero sigue siendo un misterio.

Septiembre, 1945. El pequeño John empieza a asistir a la escuela primaria de Dovedale, justo a la vuelta de la esquina de la casa de su tía Mimi, en el número 251 de la Avenida Menlove, en Woolton.

Julio, 1946. Alf vuelve inesperadamente del mar y convence a Mimi para que permita que John le acompañe a un corto viaje de vacaciones a Blackpool. Secretamente, intentaba llevarse al niño para empezar una nueva vida juntos en Nueva Zelanda. Afortunadamente, Julia les localizó y se llevó a John a Liverpool con ella.

5 de marzo, 1947. Nace en Liverpool Julia Dykins, segunda hermana de John Lennon y primera hija de Julia y John Dykins.

26 de octubre, 1949. Nace en Liverpool Jacqui Gertrude Dykins.

Septiembre, 1950. La Asociación de Profesores de Liverpool le concede al joven John Lennon el certificado de natación de principiantes.

Julio 1952. John sale de la escuela primaria de Dovedale.

Septiembre, 1952. John ingresa en el Colegio masculino Quarry Bank.

5 de junio, 1955. George Smith, marido de Mimi, muere inesperadamente en su casa de una enfermedad de hígado no revelada. Contaba 52 años.

15 de junio, 1956. Paul McCartney conoce a John Lennon en una actuación de un grupo de amigos de este último, Los Quarrymen, en la fiesta de la parroquia de San Pablo en Woolton. Poco después, Pete Shotton, amigo común de John y Paul, el más antiguo solista de tabla de lavar de Los Quarrymen, le invita a que se una al grupo.

Septiembre, 1957. Cynthia Powell, de 18 años, ingresa en la Escuela Juvenil de Arte de Liverpool. Pronto se cambia a la Escuela de Arte de Liverpool, donde conoce a su futuro marido, su compañero de clase John Lennon.

6 de febrero, 1958. El excelente guitarrista George Harrison se une a Los Quarrymen. Ya está formado el núcleo de lo que luego serían Los Beatles.

Primavera, 1958. Su Santidad el Maharish Mahesh Yogi llega a Hawai para empezar a propagar por Occidente su Movimiento de Meditación Trascendental.

15 de julio, 1958. Julia Lennon, madre de John, es atropellada y muerta por un policía fuera de servicio, del que se sospecha que iba borracho, justo a la salida de casa de Mimi, en la Avenida Menlove. John y sus hermanas están en casa, con John Dykins, jugando en el jardín. Las últimas palabras que Julia pronunció justo antes del accidente se dirigían a Mimi y fueron: «No te preocupes».

Diciembre, 1958. John y Paul realizan algunas actuaciones juntos con el nombre de Los Nurk Twins.

29 de agosto, 1959. Los Quarrymen son invitados a tocar en la fiesta nocturna de inauguración de The Cashbah, un club para adolescentes que dirigía Mona Best, la divertida madre de Pete.

15 de noviembre, 1959. Con el nuevo nombre de Johnny and the Moondogs, fracasa en una audición para Carrol Levis en el hipódromo de Manchester.

5 de mayo, 1960. El decaído grupo, ahora con el nuevo nombre de Silver Beatles, vuelve a fracasar en otra gran audición en la que iban de teloneros del cantante Billy Fury. Sin embargo, les eligen para que hagan una gira por Escocia con otro joven vocalista, Johnny Gentle.

Agosto, 1960. Paul McCartney invita a Pete Best a

que se una a Los Beatles como batería fijo en su primera gira por Alemania.

Otoño, 1960. Los Beatles hacen su primera grabación profesional junto con miembros de su grupo rival de Liverpool, Rory Storm y los Hurricanes, en los estudios Akustik de Hamburgo.

5 de diciembre, 1960. La gira de Los Beatles por Alemania se interrumpe cuando los oficiales de inmigración alemanes descubren que George es menor de edad y le deportan sin ninguna ceremonia. Los otros Beatles le siguen pronto y terminan de nuevo en Liverpool, sintiéndose derrotados y abatidos.

21 de marzo, 1961. Los Beatles actúan por primera vez en The Cavern. Durante los dos años siguientes, tocarán allí 292 veces.

1 de octubre, 1961. John y Paul se van dos semanas a París haciendo auto-stop.

9 de noviembre, 1961. Brian Epstein, el rico comerciante en discos de Liverpool, se deja caer inesperadamente por The Cavern para escuchar a Los Beatles después de que le hicieran un torrente de peticiones en este sentido para que editara su primera grabación oficial *My Bonnie* (importación de la Polydor alemana).

3 de diciembre, 1961. Epstein invita al grupo para que vaya a su despacho y poder discutir con ellos la posibilidad de pasar a ser su *manager.* Ellos aceptan en seguida.

1 de enero, 1962. Los Beatles viajan a Londres para hacer una audición para Decca Records. A pesar de que la actuación de los Fabs es emocionante, Dick Rowe, el pez gordo de Decca, los rechaza y le dice irónicamente a Brian que «los grupos con guitarras tienden a desaparecer».

10 de abril, 1962. Stuart Sutcliffe muere trágicamente en Hamburgo de una hemorragia cerebral. Tenía 21 años.

9 de mayo, 1962. Se les ofrece a Los Beatles un contrato con Parlophone Records, un pequeño vástago del enorme imperio musical EMI. Su *manager* de grabación es el arrollador George Martin.

16 de agosto, 1962. Por razones que, hasta la fecha, siguen siendo un misterio, expulsan del grupo sin ningún miramiento al batería Pete Best y, en seguida, aparece Ringo para llenar el hueco.

23 de agosto, 1962. John Lennon se casa con Cynthia Powell en una ceremonia civil celebrada en el Registro de Mount Pleasant, Liverpool. Asisten a la boda sus compañeros Beatles Paul McCartney y George Harrison.

5 de octubre, 1962. Lanzamiento del single *Love Me Do.*

31 de diciembre, 1962. Los Beatles hacen su última aparición en el club de Hamburgo.

2 de marzo, 1963. *Please, Please Me* alcanza el codiciado primer puesto en la lista de *Melody Maker.*

8 de abril, 1963. En el hospital General Sefton de Liverpool nace a las 6.50 de la mañana John Charles Julian Lennon, hijo de John y de Cynthia.

8 de agosto, 1963. Yoko Ono da a luz a su primera hija, Kyoko. El padre es el realizador de cine vanguardista Anthony Cox.

1 de febrero, 1964. *I Want To Hold Your Hand* alcanza el número uno en América.

9 de febrero, 1964. Los Beatles aparecen en *The Ed Sullivan Show* en Nueva York. Se estima que 73 millones de telespectadores vieron por primera vez a John, Paul,

George y Ringo. Ni un solo adolescente perpetró un delito en todo Estados Unidos.

23 de marzo, 1964. Se publica el primer libro de John Lennon: *In His Own Write*. Casi en una sola noche se convirtió en un *best-seller* mundial.

10 de julio, 1964. En Liverpool se celebra una recepción civil en honor de sus hijos más famosos. Asisten más de 100.000 personas. Entre ellas se contaban las hermanas de John, Julia y Jacqui, así como la mayor parte de su familia.

15 de febrero, 1965. John Lennon aprueba finalmente el examen de conducir (después de llevar años conduciendo sin carné).

12 de junio, 1965. El Palacio de Buckingham anuncia que Los Beatles serán galardonados con la Orden del Imperio Británico ese mismo año.

24 de junio, 1965. Aparece el segundo libro de John, *A Spaniard in the Works*.

3 de agosto, 1965. John le regala a su tía Mimi un precioso bungalow en la playa de Poole, Dorset.

31 de diciembre, 1965. De repente, Alf Lennon vuelve a aparecer en escena, esta vez para lanzar su primer y único disco *That's My Life (My Love and My Home)*. Aunque inicialmente lo ponen muy a menudo por la radio, las críticas no son satisfactorias y se vende poco.

4 de marzo, 1966. John hace su infame comentario de que Los Beatles son más populares que Jesucristo durante una entrevista con la periodista británica, y compinche de Los Beatles, Maureen Cleave.

31 de julio, 1966. Las emisoras de radio de todo Esta-

dos Unidos acuerdan prohibir la emisión de música de Los Beatles como consecuencia de los discutidos comentarios de John sobre el ocaso del Cristianismo en Occidente. A lo largo de las siguientes semanas, algunos grupos, desde el Ku Klux Klan hasta las Hijas de la Revolución Americana, queman discos y organizan otros tipos de protesta. En medio de esta furia desatada, Brian Epstein convence a John de que se retracte públicamente de sus comentarios, en un esfuerzo por restablecer la fe perdida en los Fabs del americano medio.

26 de agosto, 1966. John conoce a Yoko en una inauguración previa especial de su exposición de arte conceptual «Unfinished Paintings and Objects», en la Galería Indica de Londres.

26 de mayo, 1967. Aparece *Sargent Pepper's Lonely Hearts Club Band* justo a tiempo para hacer el saque de honor de aquel infame «verano de amor».

24 de agosto, 1967. Los Beatles y un séquito de amigas, esposas y seguidores asisten a una conferencia preliminar sobre la Meditación Trascendental que dio el Maharishi en el Hotel Hilton de Londres.

27 de agosto, 1967. Cuando estaban en un seminario de meditación que duraba el fin de semana, Los Beatles reciben la noticia de que Brian Epstein ha sido encontrado muerto en su casa de Londres debido a una inexplicable sobredosis de drogas. El Maharishi intenta consolarles recordándoles que deben intentar «ser felices» y «no preocuparse».

5 de enero, 1968. Alf Lennon y su prometida de 19 años se reúnen con John para pedirle su bendición, ya que van a contraer matrimonio próximamente. A John no le hace mucha gracia y, de mala gana, les da su apoyo.

16 de febrero, 1968. John, Cynthia, George y su esposa Pattie se reúnen con el Maharishi en Rishikesh, India, para realizar un curso intensivo de dos meses de Meditación Trascendental. El resto del séquito de Los Beatles llega cuatro días después.

12 de abril, 1968. Los Beatles abandonan el pacífico retiro de la montaña dos semanas antes de lo que debían a consecuencia del rumor que circuló de que el fakir hindú había intentado comprometer la virtud de una compañera de meditación, Mia Farrow.

22 de agosto, 1968. Cynthia Lennon presenta demanda de divorcio contra John citando como causa adulterio demostrado con Yoko Ono.

18 de octubre, 1968. John y Yoko son arrestados acusados de poseer 219 gramos de hachís en su piso de Montagu Square, 34, Londres. También hay contra la pareja una acusación de obstrucción a la justicia y se les ha notificado de antemano, según el viejo amigo de Liverpool Pete Shotton, su inminente detención.

25 de octubre, 1968. Se filtra a la prensa la noticia de que Yoko está embarazada. Corre el rumor de que el padre es John Lennon.

8 de noviembre, 1968. Cynthia obtiene el divorcio de John con una demanda no impugnada ante los magistrados de Londres.

21 de noviembre, 1968. Yoko sufre su primer aborto espontáneo. Es muy doloroso. John permanece constantemente a su lado en el hospital Queen Charlotte de Londres. Durante varios días, duerme junto a ella en un saco.

28 de noviembre, 1968. John se declara culpable de posesión no autorizada de cannabis ante el Tribunal de

los Magistrados de Marylebone. Le imponen una multa de 150 libras y 20 guineas por las costas. Se retira la acusación de obstrucción de la justicia que pesaba contra él y contra Yoko.

29 de noviembre, 1968. Aparece el infame *Unfinished Music Number One: Two Virgins* de John y Yoko. En la escandalosa portada del álbum se puede ver desnuda a esta pareja de temple tan liberal.

30 de enero, 1969. Última actuación en vivo de Los Beatles realizada en la terraza de los estudios Apple. La actuación improvisada se filmó para incluirla en el ecléctico canto del cisne de Los Beatles, *Let It Be.*

2 de febrero, 1969. Yoko Ono consigue el divorcio de su primer marido, Anthony Cox.

20 de marzo, 1969. John y Yoko contraen matrimonio en Gibraltar en una tranquila ceremonia civil.

26 de marzo, 1969. Los Lennon vuelan a Montreal para hacer una «cama de la paz» de ocho días en el Hotel Queen Elizabeth. Allí graban el contracultural y famoso himno *Give Peace a Chance.*

1 de julio, 1969. Los Lennon y sus hijos Julian y Kyoko tienen un accidente de coche cuando van a Durness, Sutherland. Aunque nadie resulta herido de gravedad, a John le tienen que dar diecisiete puntos en la cara y en la cabeza. Su hijo, Julian, tiene que recibir tratamiento por la conmoción recibida.

12 de octubre, 1969. Yoko sufre otro aborto involuntario. Esta vez, sin embargo, el embarazo estaba lo suficientemente avanzado como para que al bebé, un varón, le impongan el nombre de John Ono Lennon. Fue ente-

rrado en un pequeño ataúd blanco en algún lugar de las proximidades de Londres. Sólo asistieron John y Yoko.

10 de abril, 1970. Paul McCartney abandona Los Beatles públicamente.

31 de diciembre, 1970. Paul entabla una demanda contra los otros Beatles en un esfuerzo para disolver al grupo legalmente.

3 de septiembre, 1971. John y Yoko dicen adiós a Inglaterra para siempre y vuelan a Estados Unidos para establecer allí su nuevo hogar.

16 de marzo, 1972. Los Lennon reciben un aviso de deportación de las oficinas de inmigración americanas debido a que, en 1968, John resultó convicto de posesión de drogas en Inglaterra.

18 de septiembre, 1973. John y Yoko siguen caminos separados. John se va a Los Angeles, mientras que Yoko permanece confinada en su inmenso apartamento de siete habitaciones de Manhattan. La pareja llevaba cuatro años de matrimonio.

Enero, 1975. John vuelve a casa, a Nueva York, y se reúne con Yoko «La separación no funcionó», dice a la prensa.

19 de junio, 1975. John presenta una demanda contra el anterior Fiscal General por lo que sus abogados denominan «persecución impropia y selectiva», relacionada con los procedimientos de deportación del Gobierno.

23 de septiembre, 1975. Como Yoko está nuevamente embarazada, los oficiales de inmigración paralizan temporalmente los procedimientos de deportación en contra de John por lo que denominan «razones humanitarias».

7 de octubre, 1975. El Tribunal Supremo de Nueva York revoca la orden de deportación contra John por una votación en la que el resultado es dos a uno.

9 de octubre, 1975. Yoko da a luz al único hijo que tienen los Lennon juntos, un niño de 7 libras al que impusieron los nombres de Sean Ono Taro Lennon.

5 de enero, 1976. El primer *road manager* y amigo de Los Beatles, Mal Evans, muere en Los Angeles a causa de un disparo hecho por un policía después de un incidente en el que, supuestamente, Evans apuntó con una pistola a oficiales que respondían a una llamada inquietante. John dijo que la tragedia le había afectado profundamente.

1 de abril, 1976. Alf Lennon muere de cáncer en el Hospital General de Brighton. Contaba 63 años.

27 de julio, 1976. John recibe, finalmente, la Tarjeta Verde en una vista que tuvo lugar en Nueva York. El único comentario de John fue: «Es fantástico ser legal otra vez».

9 de octubre, 1976. Principio de la retirada voluntaria del mundo de los negocios musicales y del período denominado de «hombre de su casa». «A partir de ahora —dice Lennon a la prensa— mi principal responsabilidad es para con mi familia.»

15 de octubre, 1979. John y Yoko hacen un donativo de 1.000 dólares al Departamento de Policía de la Ciudad de Nueva York para la compra de varios chalecos antibala para los oficiales.

14 de julio, 1980. John y Sean salen para las Bermudas en un barco de 63 pies de eslora acompañados por

una tripulación de cinco hombres. Durante estas vacaciones, John empieza a componer de nuevo.

4 de agosto, 1980. John y Yoko empiezan a grabar en la Hit Factory, en Nueva York, por primera vez desde hacía seis años. La música entresacada de estas grabaciones será la que componga los discos *Double Fantasy* y *Milk and Honey*.

9 de octubre, 1980. John celebra su cuarenta cumpleaños con su hijo Sean, que cumple cinco el mismo día.

17 de noviembre, 1980. Presentación mundial de *Double Fantasy*.

5 de diciembre, 1980. *Rolling Stone*, de Nueva York, hace una entrevista a John y Yoko sobre su «vuelta».

8 de diciembre, 1980. A la caída de la tarde, cuando salía del Dakota Building en Manhattan, John Lennon se detiene a firmarle un autógrafo a un joven de Hawai llamado Mark David Chapman. Les hacen una foto juntos. A las 10.49 de la noche Chapman sale de las sombras y abate a tiros a John Winston Lennon cuando regresaba a casa de una sesión de grabación acompañado de su esposa Yoko. El mundo llora la desaparición de John.

Procedencia del material gráfico

* Colección de la familia de Julia Baird.
† Shiva Shakti Ltd.
‡ Archivos Jasmine y Peach.

Nuestra abuela materna, Annie Millward Stanley.*
Leila, con su madre, mi madre y Nanny.*
Mimi y John con Sally, el perro.*
Mimi y tío George con John.*
«Ese Alf Lennon» (colección de Geoffrey Giuliano).*
En el porche de Mendips.*
Posando con su bicicleta para la posteridad.*
Los niños en el jardín de Nanny.*
Stanley, Leila y John de vacaciones.*
John superado por Michael.*
Stanley y John en el jardín de Mendips.*
John y Leila con David.*
Yo, David y Jacqui en la puerta de El Cottage.*
Mamá y John.*
Mimi y John en el jardín de Mendips.*
Mamá y Jacqui.*
John con cuatro años.*
El primer retrato que se conserva de John.*
John el travieso.*

Papá con Jacqui en 1960.*
Yo a los once años.*

George, Stu y John en Hamburgo ‡ (foto: Astrid Kirchherr).
Los Quarrymen actuando en la fiesta de Woolton. ‡
Los Quarrymen en acción en la calle Rosebery. ‡
Los Silver Beatles en una audición en 1962. ‡
Mimi en Mendips en 1963. ‡
John en el jardín de Mimi con Julian en brazos.*
John y Cynthia recién casados.*
Cynthia, Harriet y Jacqui en casa de Mimi.*
John con pinta de «Ven aquí». ‡
John y David en el balcón de Mimi.*
John en los primeros días del éxito. †
Actuación en vivo durante un especial de televisión (ABC Television).
John y su codiciada guitarra Rickenbacher (foto: Harry Goodwin). ‡
En el escenario durante una de las giras de Los Beatles por el mundo. †
Haciendo el payaso con Paul. †
Salto a lo desconocido (Perna Productions).
Harrie y Mater retocándose.*
Representación extraordinaria durante el rodaje de *Qué noche la de aquel día* (Perna Productions).
Posando para la prensa en el Lago Earn. †
John y George vuelan alto.*
Los Beatles con Harold Wilson. †
John y Julian firmando autógrafos en Kenwood. ‡
Retrato de familia de John, Cynthia y Julian hecho por Ringo Starr.
Cynthia con Julian y un compañero del colegio.*
Jacqui y yo en Irlanda.*

Yo a los veintiún años.*
Las muchas caras de John: Archivos Jasmine y Peach (foto: Marc Snarratt); Perna Productions; Shiva Shakti Ltd.: Archivos Jasmine y Peach (foto: Chris Walter); Shiva Shakti Ltd.
Tranquilo en casa de Ascot (Barry Wentzel, por cortesía de Starfile).
Visita a la hamburguesería local durante un rodaje. †
Corto por detrás y a los lados. †
El mosquetero Gripweed rodando exteriores en España. †
El director John durante el bombardeo de *Magical Mystery Tour*. †
John «casando» a Georgie Fame y Carmen Jiminez (foto: Bruce Fleming). ‡
Los Beatles posan en el Parque Tittenhurst. ‡
Los Beatles se unen al Maharishi Mahesh Yogi (foto: M. Berens). ‡
Los Beatles en una reunión para celebrar la aparición de *Pepper*. †
En la primera teledifusión por el Satélite Internacional de *Our World*. †
Sean en Nueva York, 1982 (foto: Dimo Safari).
Jacqui y yo de vuelta a Springwood.*
John y Yoko con Kyoko. †
John y Yoko con Julian. †
Saliendo del tribunal después de la vista por posesión de marihuana. †
En París después de la boda en Gibraltar. †
En Amsterdam, en la «Cama de la paz». †
La «Campaña Internacional por la Paz» de Lennon. †
Conla prensa en 1969. †
En Manhattan, septiembre 1980 (Dimo Safari; foto: Michel Senegal).

Llegada a la Hit Factory, en Nueva York (Dimo Safari; foto: Michel Senegal).
En Nueva York (Dimo Safari; foto: Michel Senegal).
Ataque durante la grabación de *Abbey Road*. ‡
John saliendo de su apartamento en el Dakota (Dimo Safari; foto: Michel Senegal). ‡
En el escenario con Elton John (foto: Stephen Morley). ‡
Entre bastidores en el London Lyceum. †
John preocupado por el superinspector de hacienda.
Paul a la entrada de su oficina en el Soho (foto: Karen Neilson). ‡

AGRADECIMIENTOS

Los autores desean agradecer a las siguientes personas su ayuda y apoyo para que este libro se haya hecho realidad:

Apple Corps Ltd.
Nicolas, Sara y David Baird
El personal de Beatle City
Val Bellis
Pete Best
Ray Benyon
Norman Birch
Debra Lynn Black
The Bull Brothers
Stefano Castino
Ray Coleman
Colins Publishers (Canadá)
Jose y Christine Damiaiou
Dot Doyle
Dr. H. Braden Fitz-Gerald
David Germain
Brenda Giuliano
George y Olivia Harrison
Leila Harvey
Trudi y Andy Hayden
William Hushion
Penelope Isaac
Joe Jelly
Ron y Dave Jones
Richard Johnson
Sr. y Sra. Starkey
Ringo Starr
Agencia Lucinda Vardey
Tamara Williams
Sheila Jones y todo el MPL
Myrna Juliana
Susan Muirsmith Kent
Alcides Antino King
Leif y Lia Leavesly
Jill Katheleen Lee y familia
Cynthia Lennon
Tanya Long
Allan Lysaght

Paul McCartney
Sri Chaitanya Mahaprabhu
Mangal Maharaj
Ward Mohrfeld
Carl Newman
The Betsy Nolan Group
Stanley Parkes
Charles F. Rosnay
Dimo Safari
Julie Scott
Sesa, Devin y Avalon
Sr. Singh
Skyboot Productions
Wendell y Gina Smith
Ann y Clare Starkey
Georgie Woods
Bob Wooler
Tom Wronski
Dr. Ronald Zuker

Y, en especial, a Carolyn Brunton, sin la cual...